仕事の未来

「ジョブ・オートメーション」の罠と「ギグ・エコノミー」の現実

小林雅一

講談社現代新書

2569

はじめに

新型コロナウイルスの影響で、世界的な雇用危機が到来しつつあります。

米国では失業保険の申請件数が、今年3月下旬に328万3000件と過去最多を記録。ウォール・ストリート・ジャーナル紙の報道によれば、このまま急激な景気後退と雇用環境の悪化が続けば、米国の失業率は1982年の10・8%という戦後最悪の記録を塗り替えるという見方も出てきました。

こうした悲観的な見通しはもちろん、米国だけに止まりません。

ILO（国際労働機関）雇用政策局のリー・サンギョン局長は英ロイター通信に対し、「新型コロナウイルスの感染拡大によって、世界で失われる雇用が2500万人を大幅に超える可能性がある」と語りました。ちなみにリーマンショックなどによる2008〜09年の金融恐慌時には、世界で約2200万人の雇用が失われたといいます。

そうした中で、〝Eコマースの巨人〟アマゾンは例外的な動きに出ました。急遽、配送センターの従業員として10万人を新規採用すると発表したのです。これはウイルス感染を恐れて外出を控えるようになった顧客からの注文が殺到し、対応する人手が足りなくなったためです。

同社を筆頭にマイクロソフトやグーグルなど米国の巨大IT企業は、コロナウイルスの禍中で〝焼け太り〟とも言うべき強さを見せつけています。世界中の企業が従業員の勤務形態を「テレワーク（在宅勤務）」へとシフトさせた結果、これらIT企業が提供するクラウドシステムの需要が急拡大しているのです。

マイクロソフトのテレワーク用ツール「チームズ」の一日当たりの利用者数は、3月中旬の1週間で37％も増加し、4400万人以上に達しました。このツールを使って、世界中の企業で1日に9億回以上のビデオ会議などが実施されています。また、これと競合する「スラック」と呼ばれるツールの同時接続ユーザー数も、2週間で250万人増加して1250万人になりました。

マイクロソフトのコーポレート担当副社長ジャレッド・スパタロウ氏は「この突然の、そして世界的なテレワークへの移行は、私たちの働き方や学び方が変わる転換点になるだろう」と語っています。つまり一過性ではなく、永続的なトレンドと見ているのです。

コロナウイルスの感染は遅かれ早かれ収束します。その暗いトンネルを抜けたとき、私たちを取り巻く世界、特に職場を巡る環境は一変しているでしょう。

　中でも構造的な変化として注目すべきは、ＡＩやそれを搭載した次世代ロボットなどで仕事を自動化し、業務の効率化や生産性の向上を図る動きです。実際、これらの分野における最近の技術革新には目覚ましいものがあり、今から十数年以内に全職種の半分近くがＡＩ・ロボットに置き換えられるという予測も聞かれるほどです。

　このため今回のコロナウイルス禍を契機に失われた雇用は、いずれＡＩやロボットで代替され、２度と私たち人間の手には戻って来ないとの悲観的見通しも囁かれるようになりました。

　ただ改めて断るまでもなく、それが未来の職場を巡る本来の姿であるとは誰も考えていないでしょう。

　英語で「会社」を意味する「カンパニー（company）」は元々「仲間」を意味しています。文字通り気の合った仲間同士、あるいは目的や志を同じくする仲間たちが集い、ともに助け合いながら、何らかの自己実現や社会貢献を目指していこうとする意図が「会社」には込められていたはずです。

　いい歳をして青臭い理想論を語るのは止めてくれ——そんな批判があれば甘んじて受けましょう。しかし一見どれほど現実的でシニカルな人間でも、心の奥底には、そうした理想を忍ばせ、それに支えられているからこそ、日頃の厳しい業務にも耐えられるのではないでしょうか。

会社とは結局人間です。業務効率化のためにＡＩやロボットで人間（労働者）を置き換えるとすれば、それは本末転倒の極みといえるでしょう。

他方で進境著しいＡＩなど自動化技術の導入は、高齢化と労働力人口の減少が進む日本のような先進諸国では差し迫った課題となっています。

ＡＩやロボットが人間の労働者に置き換わるのではなく、両者が共存共栄を図るにはどうしたらいいのか。人と高度技術の関係が今ほど問われる時代はかつてなかったでしょう。それを考える一助になることを願って、この本は書かれました。

本書はまた、ここ数年で急激に盛り上がったＡＩブームの後日談、ないしは冷静な評価・総括でもあります。

筆者は２０１５年に著した『ＡＩの衝撃　人工知能は人類の敵か』（講談社現代新書）の中で、高度な数理統計学や脳科学をベースに急激な進化を遂げたディープラーニング、あるいは世界の自動車産業を根底から覆す自動運転技術、さらにはグーグルが開発中の人型ロボットなどＡＩ開発の最前線を紹介しました。

今、振り返れば当時はＡＩブームの走りともいえる時期でしたが、その後、ブームが過熱する中で、ＡＩが全人類の知能を凌駕（りょうが）するシンギュラリティ（技術的特異点）やＡＩ万能論、あるいはＡＩやロボットに仕事を奪われる新種の雇用破壊、はてはＡＩによる人類絶滅の危機など、プラスとマイナス両極端のイメージが社会に形成されました。それらの中には、現実離れしたものも少なくありません。

当時から5年余りが経過した今、実際のＡＩあるいは自動運転車や次世代ロボットはどんなフェーズにあるのでしょうか？　本書はそれらの現状や実力をつぶさに見ていきます。

第1章ではインドや中国を中心に、ディープラーニングの開発現場を紹介します。

ビッグデータを機械学習して高精度の予測などを可能にするディープラーニングは、技術者やビジネス・パーソン、さらには官僚や政界関係者からも、これからの世界を変革する最大のテクノロジーと見られています。

しかし「機械学習」という高度に自動化されたイメージとは裏腹に、実際のディープラーニングなどＡＩ開発は、長時間にわたる過酷な単調作業を私たち人間に強いる労働集約的な産業と化しています。それは未だ工業化の途上にあった、20世紀初頭の日本における繊維産業を彷彿（ほうふつ）させます。

本来なら「未来を切り開く夢のテクノロジー」であるはずのＡＩですが、そこで必要とされる労働の本質が「大正時代の女工哀史」と大差ないとすれば、ＡＩは一体どんな未来へと私たちを誘っているのでしょうか？　広範な事例を基に、それを探ります。

第2章では、一時「社会の利便性を飛躍的に高める」と期待された自動運転の「その後」を追います。グーグル（の関連会社）が開発中の自動運転車は、米国内で石を投げられたり、タイヤを切りつけられたりするなど、悪質な嫌がらせに遭っています。

その背景には、革新的なテクノロジーに取り残される労働者の危機感があります。ドイツの自動車業界では、今後の電動・自動運転化に伴い、部品・組み立て工場などで働く従業員の約半数が職を失うとの試算もあります。

一方、アプリ配車業者のウーバーに代表される「ギグ・エコノミー」は、全世界でタクシーなど既存業界との摩擦を引き起こしています。また「好きなときに仕事を始め、好きなときに終える自由な働き方」というバラ色の未来も、労働者が不利な環境で酷使される実態を前に、今では色褪せてしまいました。

その先に見えるのは、そうした安価な労働力さえ自動運転のようなジョブ・オートメーションで代替しようとする、巨大ＩＴ企業の飽くなき利益追求の姿勢です。

米国では、公的扶助を申請できるほどの低賃金で働くウーバー運転手を尻目に、同社の創業者らはＩＰＯ（株式上場）で巨万の富を手にしました。自動運転は便利なＩＴが生み出した経済格差など、社会的矛盾の象徴と見られているようです。

第3章では「工場の製造ラインで労働者と肩を並べて働くヒューマノイド」など、次世代ロボットの実力を評価します。2013年頃から、この分野の研究開発に取り組み始めたグーグルは、その後、ロボット事業部門をソフトバンクに売却するなど、一時的な撤退を余儀なくされました。

これに対しEコマースの大手アマゾンは、倉庫内を移動する搬送ロボットや商品の梱包ロボットなど、より現実的な路線を選ぶことで業務自動化の先頭を走ります。また最近では、画像認識AIによるレジでの支払いを不要にしたコンビニなど、次々と新機軸を打ち出しています。

さらに商品を宅配するロボットやドローン、大型小売店の商品棚をチェックしながら巡回するロボット、あるいは農地で野菜や果物を収穫するロボットなど、個別の分野に特化した実践的ロボットが次々と現場に投入されつつあります。これらと労働者（人間）の関係も含め、その現状と課題を探ります。

第4章では、医師に代わって患者の診断・治療に当たる「医療用AI」の実態を見ていきます。インドやアフリカなど医師不足が深刻な国や地域、また少子高齢化による労働力人口の減少が進む日本でも医療用AIの必要性が高まっています。

もっとも現時点では「医師に代わって」というより「医師をサポートする」という位置

付けですが、すでに一部の国では病院の医師たちがＡＩの意見に１００パーセント従うなど、事実上ＡＩに診断や治療を任せるケースも見られます。しかし逆に「ほとんど役に立たない」という意見も聞かれるなど、医療関係者による評価は分かれています。

医療用ＡＩはその機械学習に大量の患者データを必要とするため、プライバシー侵害の懸念から訴訟も起きています。また何らかの診断・治療法に至った理由に関する、説明責任も果たせないなど課題は山積しています。今後は、真の病因を突き止めようとする医師の探究心や患者とのコミュニケーション等、人間ならではの能力が重要性を増していくと見られます。

最後の第５章では、これからのＡＩ時代に向けたグーグルやアマゾンの働き方改革を取り上げます。

グーグルは「プロジェクト・アリストテレス」と呼ばれるチームワーク改善計画を経て、誰もが社内で思ったことを自由に発言し、ありのままの自分をさらけ出すことができる「心理的安全性」を重視します。それによって社員の生産性や創造性を引き出してきましたが、やがて会社が巨大化して従業員構成が多様化し、社会的責任も増すにつれ、その修正を迫られています。

一方、アマゾンは会議で同僚が出したアイディアや意見を容赦なく批判することが奨励されるなど、「社内ダーウィン主義」とも呼ばれる苛烈な競争文化を育んでいます。また新製品の研究開発では、ジェフ・ベゾスＣＥＯによるトップダウンの開発体制を敷いてきました。

しかし独自開発した新型スマートフォンの販売不振を契機に、ベゾス氏と部下のエンジニアたちの間に力関係の変化が生じ、それを上手く開発体制に反映させて、ＡＩスピーカー「エコー」というヒット商品を生み出すことに成功しました。その経緯を追います。

頭脳労働さえ自動化するＡＩの登場によって、私たちの仕事はどう変わるのか。この大変化に私たちはどう対応していけばいいのか。また、生産性や創造性の領域にもＡＩのような高度技術が介入する時代において、人が働く意味とはいったい何なのか？　これらを考えていくのが本書の狙いです。最後までお付き合いいただければ幸いです。

２０２０年４月

著者

目次

第3章　AIロボットの夢と現実

——我々（人間の労働者）と競う実力はあるのか？——

第1章

誰のための技術革新なのか？

――AIに翻弄される世界の労働者たち

「AIの教師」という新しい職業

ゆうに13億人を超える人口を抱え、その4割以上が20歳未満といわれる未来の超大国インド。最近まで比較的高い経済成長を遂げてきた一方、毎年約1200万人が新たに労働市場へと雪崩れ込むため、若者の就職難が深刻な社会問題となっています。

土木工学、エレクトロニクスからコンピュータ科学まで、インドの高等教育システムは大量の理工系卒業生を社会に送り出しますが、その多くは専門分野への就職が叶いません。

しかし学資ローンを返済し、毎月の家賃やその日の糊口を凌ぐためには、とにかく働かねばなりません。大学を卒業したインドの若者たちは意に適わぬ仕事でも、給料がちゃんと支払われるのであれば文句を言わずに就職します。

そんな彼らの助け舟となる新しい職業が最近、1つ生まれました。

それは「AI（人工知能）の教師」です。

そう言われてもピンと来ないかもしれませんが、米ニューヨーク・タイムズ紙はインド現地に記者を派遣し、その仕事振りを克明に取材し紹介しています。*1

記者が訪れたのは「アイメリット」という新興アウトソーシング会社。

2012年に設立された同社はインド各地にオフィスを構え、大学を卒業したばかりの若者を中心に約２５００名の従業員を雇用しています。いわゆる「オフショア・ビジネス」を手掛けており、世界各国の企業からさまざまな仕事を受注しては、その作業をインドにいる自社の従業員にやらせています。創業当初は、主に録音データの文字起こし作業などを請け負っていましたが、最近はＡＩ関連の仕事がめっきり多くなりました。

インド東部の古都ブバネーシュワルにあるオフィスビルの4階では、アイメリットの社員数十名がパソコン画面を見つめながらＡＩを教育しています。そのうちの一人である24歳の女性従業員は、外国の病院から送られてきたビデオ映像を相手に働いています。

ビデオには、内視鏡カメラで撮影された大腸の内壁が写っています。その映像のどこかに、いずれがんになりそうなポリープを見つけると、この従業員はマウスを巧みに使って、そのポリープを投げ縄のように丸い図形で囲み、キーボードから「ポリープ」と入力します。これによって彼女はＡＩに「これはポリープよ、憶えておきなさい」と教えたことになります。

この女性は朝から晩まで、大量のビデオ映像を相手に、これと同様の作業を続けます。オフィスでは伝統的なサリーを身に纏(まと)って働く彼女は、大学で生物学を専攻しましたが、医学の専門知識は持っていません。

つまりオンザジョブ・トレーニングで今の仕事を習得したわけですが、そんな彼女のお

写真１　アイメリットによる作業の一例
出典：https://imerit.net/computer-vision/

かげでＡＩはさまざまな形状や色合いのポリープを学ぶことができ、やがては「ポリープとは何か？」を理解・識別して、自力で大腸がん等の画像診断を行う「デジタル・ドクター（自動診断用ＡＩ）」へと成長を遂げるのです。

彼女の同僚ら（その大半が女性）も、これと同様の作業に従事しています。ただし担当する専門分野は人によって異なります。

ある者は街中を走るクルマから撮影されたビデオ映像等を教材にして、「これは一時停止のサイン」「これは赤信号」「これは歩行者」などと交通関係の知識をＡＩに教え込んでいます。また別の者は衛星写真などを教材にして「これは工場」「これは石油タンカー」などと教えています。

彼女たちは各々（おのおの）、月に何万枚もの写真やビデオ映像を教材にしてＡＩを教育しています。月給は米ドル換算で１５０〜２００ドル（１万５０００〜2万円前後）ですが、インドの地方都市で単純労働者に支払われる給与としては標準的な金額です。

ただ朝から晩まで映像の特定箇所に目を凝らし、そこに丸印を付けていく単調作業は、お世辞にも面白い仕事とはいえません。

しかもアダルトビデオや残忍な暴力動画などを相手に、同様の仕事をこなさねばならないケースも少なくありません（こうした作業は、ソーシャルメディア等に投稿された有害コンテンツを、ＡＩで自動検出・削除するために必要となります）。このため作業に従事する労働者が、いずれＰＴＳＤ（心的外傷後ストレス障害）を発症する危険性を指摘する専門家もいます。

それでも（前述の）24歳の女性従業員は「この仕事を始めた頃は本当に嫌でしたが、今は慣れました」と気丈なところを見せます。

それにしてもなぜ、こんな骨の折れる単調作業が必要とされるのでしょうか？

その理由は、現代ＡＩの基本的な原理とその開発方法にあります。

今、最も普及しているＡＩ技術は「ディープラーニング」あるいは「ディープ・ニューラルネット」と呼ばれる人工知能です。アイメリットの社員たちが教育しているのも、まさにこの種類のＡＩです。

ディープ・ニューラルネットは、あらかじめ「機械学習」と呼ばれる手続きによって訓練される必要があります。

この機械学習には「教師有り学習」と「教師無し学習」、あるいは「強化学習」や「転移学習」など何種類かありますが、現在までに世界全体で開発・製品化されてきたディープラーニングの少なくとも9割以上は「教師有り学習」に従っています。

この方式では、人間（という教師）が大量の画像データ等を教材にして「これは何々です」とAIシステムに教え込んでいきます。（前述の）「これはポリープ」「これは歩行者」「これは工場」などと丸印で囲んでいく作業が、この教師有り学習に該当します。

いずれの場合も、同社に仕事を発注してきたクライアント（顧客企業）には各々独自の目的がありますが、アイメリットの従業員たちはそれを知らされていません。

しかし恐らくは、内視鏡ビデオからポリープなどを学んだAIはいずれ某国の病院でがんの自動診断に使われ、交通関係の知識を教え込まれたAIは某メーカーが開発中の自動運転車などに搭載され、衛星写真から工場など重要施設を学んだAIは某国の防衛システム等に組み込まれると見られます。

アイメリットと同様のAI教育作業を請け負う企業は、実はインド国内に止まりません。それは（後述する）中国、ネパール、フィリピン、東アフリカのような新興国・地域ばかりか欧米や日本など先進国も含めて世界各国に広がり、それらの国々では無数の中小業者がこの種の仕事を受注しています。

米国の調査会社によれば、ディープラーニングの教育（教師有り学習）に要する時間は、AIシステムの開発に要する時間全体の実に80％を占めています。「教育」といえば聞こえは良いですが、実際には多数の労働者が大量の写真やビデオ映像に、延々と投げ縄のような丸印を付けていく単調作業です。

これが現代のAI産業を陰で支える労働現場の実態なのです。

AIが切り開く未来

ここまでお読みになって、どんな感想をお持ちでしょうか？

筆者自身は『女工哀史』（細井和喜蔵　1925年）という大正時代のルポルタージュを思い出しました。20世紀初頭の紡績工場で働く女工たちの、過酷な労働環境を克明に記した同作品は日本の人口に膾炙（かいしゃ）し、いつしか過酷な労働それ自体を象徴する言葉として、この作品名が使われるようになりました。

当時の日本は国家の近代化と産業の振興に邁進（まいしん）しましたが、それを陰で支えていたのが紡績工場で辛い仕事に励む女工のような、多くの単純労働者でした。

それから約１００年が経過した今、インドや中国など21世紀の新興諸国でＡＩの教育作業に従事する労働者たちは、日本の大正時代の女工たちと大差がないように見えます。もちろん現在の新興国における人々の生活水準は、大正時代の日本よりは余程マシでしょう。

しかし「延々と続く単調作業」という点で、両者の労働環境は本質的に同じと思われます。つまりＡＩとは20世紀初頭の繊維産業に相当する、21世紀の新たな労働集約産業だったのです。

私たちの先入観では、ＡＩとは「未来を切り開く夢のテクノロジー」ですが、そこで必要とされる労働のクオリティが「大正時代の女工哀史」と大差ないとすれば、ＡＩは一体どんな未来へと私たちを導いているのでしょうか?

ディープラーニングの教師有り学習に要する過酷な単調労働は、ＡＩ関係者が普段あまり口にしたがらない、言わば「業界の暗部」です。このためアイメリットのようなアウトソーシング業者は、自分たちに仕事を発注した企業が一体誰なのかを、なかなか明かそうとはしません。

それでも同社の経営者が重い口を開いたところでは、米国のアマゾンとマイクロソフトがクライアントの中に含まれています。これら巨大ＩＴ企業を筆頭にシリコンバレーのベンチャー企業、あるいは世界的な自動車メーカーや医療機器メーカーなど多種多様な企業が水面下で仕事を発注していると見られます。

これらの企業が今、ＡＩやそれを搭載したロボット等を使ってやろうとしているのは、さまざまな業界の仕事を自動化することです。

たとえば自動運転車でタクシーや運送業、宅配サービスなどを自動化する、あるいはドローンで農作物の生育状況をチェックしたり過疎地に荷物を配送する、さらには医療用ＡＩで地域の医師不足に対処する、搬送ロボットで倉庫内の物資を運搬する、画像認識ＡＩでコンビニの無人・省人化を促す……等々。

これらは「ジョブ・オートメーション（仕事自動化）」技術と総称されます。

その背景には（インドやアフリカ諸国など一部例外を除いて）人類史上かつて例を見ない高齢化・人手不足社会の到来があるといわれます。これに対処するため、産業各界の企業はＡＩやロボットに仕事を任せるというわけです。

しかし、もう一方で注意しなければならない点は、ジョブ・オートメーションは本来、技術主導のトレンドであるということです。つまり、ここ数年でＡＩやロボティクスなどの高度技術が急速に発達してきたので、企業はその機に乗じて各種業務の自動化を図ろうとしているのです。

市場経済における景気循環は不可避です。今後の景気次第では、ここしばらく続いてきた雇用市場の過熱感はいずれ冷え、人手不足から人余りの時代になるかもしれません。それでも企業はより高い生産性と業務の合理化を追求して、ジョブ・オートメーションを加速させることは間違いありません。

ヒトがやりたくない仕事をロボットに

その技術開発で世界をリードするのが、いわゆるGAFA（ガーファ）に代表される米IT企業です。これら巨大企業は近年、低課税国に利益を集中させる税逃れの手法、あるいは広告・Eコマース市場における独占的な地位の乱用などで世界的な非難を浴びています。しかし、そうした徹底的な利益追求の柱となる「効率的な働き方」を研究する点で、彼らの右に出るものはいません。

中でもグーグル共同創業者のラリー・ペイジ氏は英フィナンシャル・タイムズとのインタビューの中で、（AIやロボットの急激な発達にちなんで）自らの労働観を次のように語っています。[*2]

「（もしも仕事を辞めることができるなら）10人中9人は今の仕事をやりたくないでしょう。（中略）全ての人が効率性を犠牲にしてまで、今の仕事を守るために奴隷のように働くという考えは、私に言わせれば全く無意味です。それが正しい答えであるとは思えません」

いくら世界的企業家の意見とはいえ、これはかなりの極論でしょう。確かに現代社会で、今の仕事に満足できない人は多いかもしれませんが、それが10人中9人まで占めるというのは若干行き過ぎた見方とも思えます。また「奴隷のように」という表現には、語弊があるかもしれません。

ですが、同氏が伝えようとしているメッセージは単純明快です。それは、「人がやりたくない仕事」はこれからはＡＩ・ロボットに任せ、私たち人類は本来もっと人間的でクリエイティブな仕事に従事すべきだということです。

ペイジ氏は「やりたくない仕事」が具体的に何を指すかまでは言及していませんが、恐らくは「きつい、汚い、危険」――いわゆる３Ｋ労働などが同氏の念頭にあると見て間違いないでしょう。実際、この種の労働は今、高度ＡＩ（人工知能）を搭載した先端ロボットによって置き換えられようとしています。

米コロラド州デンバーにあるゴミ処理場では最近、同州の「ＡＭＰロボティクス」というベンチャー企業が開発したリサイクル処理用ロボットを導入しました。[*3]

写真２　リサイクル処理ロボット「クラーク」
出典：https://www.amprobotics.com/newsroom

「クラーク（Clarke）」と呼ばれる、このアーム（腕）型ロボットは、ベルトコンベヤーで流れてくる多種多様なゴミの中から「牛乳パック」のような特定種類のゴミを識別し、リサイクル素材として分別することができます。

その軽やかでスピーディな動作は、これを眺めている者が思わず見とれるほどです。

まずロボットに装備されたビデオカメラがベルトコンベヤーをスキャンし、そこからロボット内部の人工知能ディープラーニングがリサイクルする素材を正確に識別。これによりロボット・アーム（の先端にある吸引装置）が目にも留まらぬ速さで対象物を次々と拾い上げ、リサイクル用の大型ボックスにぽんぽん投げ込んでいきます。

今のところクラークは、防塵マスクをつけた人間の同僚たちと一緒に働いています。ゴミ処理場の熟練労働者は、最速で毎分１００個のリサイクル・ゴミを分別できますが、クラークは毎分80個。

しかし人間の労働者がすぐに疲れて、毎分40個までペースが落ちてしまうのに対し、クラークは毎分80個のペースをいつまでも持続できます。しかも年間１日も休むことなく、昼夜を問わず24時間働くことができるのです。

この働きぶりに満足したゴミ処理場の経営者は2台目の導入を決めました。いずれは人間の労働者の代わりに、クラークのようなロボットがリサイクル作業を全部こなすようになるかもしれません。なぜならゴミ処理場で働く人材を探すのが年々難しくなっているからです。米国でも、リサイクル処理のような３Ｋ労働をやりたがる人は少ないのです。

ＡＭＰロボティクスは最近、日本の環境関連機器メーカー「リョーシン」（本社：富山県富山市）と提携し、リサイクル用ロボット「ＡＩ‐Ｂｅｎｋｅｉ」と「ＡＩ‐Ｍｕｓａｓｈｉ」を共同開発しました。これらのロボットは建設・解体廃棄物に含まれる金属、木材、電子製品、コンクリートなどを識別して拾い上げ、リサイクル用に分別することができます。

米国のピュー・リサーチセンターが２０１７年に実施した世論調査では、「もしも（ＡＩ

ロボットのような）機械が危険で汚い仕事だけを人に代わってやってくれるなら、あなたはこれに賛成しますか？」という問いに対し、全体の85％が「賛成」と回答しました。

つまり（前述の）ペイジ氏のような見解は、社会の大勢とおおむね合致していることになります。

人間に残された仕事

ここで気になるのは、「ＡＩロボットによって３Ｋ労働から私たち人類が解放されるのは良いことだが、逆に私たちに残された仕事はどんなものになるのか？」ということです。

これについては「清潔・安全かつ快適で、クリエイティブな仕事が増える」という半ば期待混じりの予想も聞かれますが、少なくとも現状を見る限り、そうとはいえません。

前述のリサイクル処理ロボット「クラーク」を開発した、ＡＭＰロボティクスの最高経営責任者で技術者でもあるマタニヤ・ホロウィッツ氏は次のように語っています。

「クラークの調整や手入れ、バグ修正などのために、悪臭漂うゴミ処理施設で長時間過ごさなければなりません。気温が零度近い寒さの中で（クラークの）プログラミングをしていると、腐ったミルクが飛んできて顔にかかったことがありました」

このような話を聞くと、確かに「プログラミング」はクリエイティブな仕事かもしれませんが、それ以外の要素はとてもではないが「清潔・安全で快適な作業」とはいえません。これでは本来、解放されたはずの3K労働と大差ないように思えます。

なぜ、こんなことになってしまったのでしょうか？

実はクラークに搭載されたディープラーニングも（前述の）「教師有り学習」によって実現されました。このロボットに搭載されたビデオカメラが撮影する映像には、多種多様な生活ゴミが含まれています。

クラークを開発したAMPロボティクスではあらかじめ、それらの生活ゴミを撮影したデジタル写真を何万枚も集め、（恐らくはアイメリットのようなアウトソーシング業者を介して）多数の労働者の手で個々の写真（映像）に「これは牛乳パック」「これはペットボトル」「これは（食べ残しの）トマト」といったラベルを付けていったのです。しかも、あらゆる角度から撮影した映像の各々に対してです。そこにはほぼ無限のバリエーションが考えられますから、これだけでも気の遠くなるような作業です。

このように苦労して用意された多数のラベル付き映像を次々と機械学習することによって、クラークは本物の生活ゴミを自らのビデオカメラで捉えた際に「これは牛乳パック」「これはペットボトル」などと認識して、リサイクル用ボックスへと分別できるのです。

少なくとも理論的にはそうなるはずです。

しかし実際には教師、つまり人間の労働者がここまで教育してあげても、クラーク（というロボット）は本物の生活ゴミを正しく分別できるとは限りません。なぜなら、あらかじめ撮影されラベル付けされた映像データと、実際にゴミ処理施設内のベルトコンベヤー上を流れてくる生活ゴミとでは、それら実物と映像との間に微妙な違いが出てくるからです。そこには室内の照明や物の置かれた角度など、いろいろな要素が影響しています。

これらの違いが引き起こす対象物（生活ゴミ）の識別誤差を修正するために、ホロウィッツ氏のような技術者がわざわざ現場、つまりゴミ処理施設に乗り込んで、そこに置かれたクラークをプログラミングして、調整し直すような作業が必要になってくるのです。

以上からおわかりのように、現在のディープラーニングは多数の単純労働者や技術者らが手間暇かけて面倒見ることによって何とか使い物になる——そんなレベルにあるのです。

世界最大のデータ産出国

このように人手のかかるディープラーニングの開発に今、ひときわ注力しているのが中国です。中国は最近、米国と競うようにＡＩ開発に多大なリソースを注ぎ込み、近い将来、米国を抜いて、この分野で世界をリードしようという野心を抱いています。

すでに「ＡＩに関する論文数では、中国は米国を抜き去った」と言われますが、それ以上に彼らの自信の源泉になっているのが、じきに14億人に迫ろうかという人口です。

この膨大な人口が、中国のＡＩ産業を支える最大の柱になっているのです。十数億人もの中国人が昼夜使用しているスマートフォンやソーシャルメディアからは、写真やテキスト、動画など多彩なデータが大量に生み出され、それが巨大企業のサーバーへと蓄積されていきます。これらビッグデータは、21世紀のＡＩ産業における貴重な資源と見られています。*4

かつて20世紀に出現した大量消費社会を支えたのは「石油」という天然資源でした。そこで強大な力を握ったのは、サウジアラビアに代表される原油産出国です。

これに対し、21世紀のＡＩ産業を支えるのは「データ」という人工資源であり、この時代をリードするのは世界最大のデータ産出国である中国になるというわけです。

しかし、原油が製油所で「ガソリン」や「重油」、「ナフサ」などに加工されることで初めて産業各界で使える燃料や原材料になるのと同じく、スマホやソーシャルメディアから排出された各種データも何らかの加工を施さなければ、ＡＩビジネスに使えるようにはなりません。

このデータの加工作業が、（前述の）教師有り学習に必要とされるラベル付け作業なのです。

今、中国には河南省や河北省など主に地方部に、ディープラーニングに使われる大量のデータのラベル付けを行う会社が続々と設立されています。これらはインドのアイメリットと同種のアウトソーシング業者ですが、中国では一般に「データ工場」あるいは「ビッグデータ工場」等と呼ばれています。

こうした会社はどこも殺風景なオフィスを借りて、そこに数十〜数百名の人たちを雇って、データのラベル付け作業に従事させています。これらの従業員は大抵、地元で職を探している中国の若者たちです。

彼らがラベルを付けているのはインドと同様、今のところ主に画像データです。

たとえば上海に本社を置く自動車メーカーが今、自動運転車を開発中であるとします。それには外界認識用のディープラーニング・システムが搭載されます。その機械学習に必要な大量の画像データにラベルを付ける作業を、中国地方部にあるビッグデータ工場に発注するのです。

これを受注したデータ工場の労働者たちはパソコン画面に次々と表示される写真などに対し、「これは自動車」「これは自転車」「これは歩行者」「これは信号機」……といった形で、どんどんラベルを付けていきます。その枚数は月に数十万枚にも及びます。こうした単調作業を、彼らは毎日、朝から晩まで続けます。

この工場でラベル付けされて戻ってきたビッグデータを機械学習することによって、自動運転車は外界を正確に認識して安全に走行できるはずです。

つまり自動運転のような未来のＡＩ開発を縁の下で支えているのが、ビッグデータ工場で働く多数のラベル付けワーカーなのです。

彼らは一昔前の、中国が未だ「世界の工場」と呼ばれていた時代であれば、恐らく地元の家電工場などで働いていたであろう単純労働者です。

しかし中国政府は今、自国の産業構造を製造業中心から、ＩＴやバイオなどハイテク分野を中心とする形態へとシフトさせています。中でも力を入れているのが、ディープラーニングのようなＡＩ産業の育成であり、そこで必要とされるのが国内各地に乱立する多数のビッグデータ工場なのです。

つまり労働者にしてみれば、働く場所が「家電や自動車の製造工場」から「ビッグデータ工場」に変わっただけで、その仕事内容は反復的な単調作業という点で大差ありません。

もっとも画像データのラベル付け作業は、製造工場の組み立てラインで身体を酷使する肉体労働よりはマシという見方もあるかもしれません。

しかし実際はその逆です。むしろ自分で身体を動かして自動車等を組み立て、目の前で製品ができ上がっていく様子を実感できる製造ラインの仕事は、多くの人間にとってやりがいのある仕事のようで、この仕事を好きだと言う人は案外多いのです。

これに対し、次から次へとパソコン画面に表示される画像データに、ラベルを付ける作業を好きだと言う中国の労働者はほとんどいません。

中国地方部のビッグデータ工場で働く従業員の月給は（日本円に換算して）約4万～5万円ですが、これは地元の工場などで働く単純労働者の平均収入を上回っています。それでも多くの若者は数ヵ月働いただけで、もっとやりがいのある仕事を求めてビッグデータ工場を去っていきます。このため、これらデータ工場の経営者はいつも新しい人材探しに苦労しています。

これは同様の単調作業を不平も言わずにこなすインドの若者と対照的です。中国のほうがインドよりも先に高度経済成長を遂げ、日常生活の豊かさも増しているので、そのような結果になったのでしょう。

誰のための技術革新なのか？

しかしインドにせよ中国にせよ、とにかくＡＩによって新しい雇用が創出されたことは評価に値するかもしれません。

昨今、「ＡＩが人間の雇用を奪う」ことが懸念され、これに対し一部の経済学者らは「過去の歴史を振り返れば、確かに新しい技術の登場は既存の雇用を奪うが、それに代わる新しい雇用も生み出す」と反論してきました。ビッグデータ工場における「データのラベル付け」のような作業は、まさにそれに該当するわけです。

しかし（前述のように）そうした新しい仕事は従来の単調な肉体労働よりも人気のない職種となっています。また今後、ＡＩによるジョブ・オートメーションが産業各界に広がっていった時、そこで失われる雇用を十分に補うほどのペースで、新しい職種が続々と生まれてくる保証もありません。

この点について、米ピュー・リサーチセンターが２０１７年に世論調査を実施しました。*5「ロボットとコンピュータは（いずれ）人間の仕事の多くを奪うでしょうか？」という問いに対しては、回答者全体の72％が「そうなるだろう」と答えました。

また「職場のオートメーションは貧富の格差を助長するでしょうか？」という問いに対しては、全体の76％が「助長するだろう」と答えました。

一方「職場のオートメーションは、より高い給与の職業を人間の労働者に提供するでしょうか？」という問いに対し、「そうなるだろう」と回答したのはわずか33％。逆に「そうならないだろう」と答えた人は66％に上りました。

一般の米国人はジョブ・オートメーションに対して、強い不信感を抱いているようです。同じく自由主義陣営に属し、市場経済の成熟段階もほぼ同レベルにある日本の労働者も同じと見ていいのではないでしょうか。

しかし、これは産業界全体にわたって一律にいえることではありません。一部の業界では過度の人手不足と労働環境の劣悪化が焦眉の急となっています。

日本の場合であれば、コンビニ業界がその典型でしょう。

全国各地で毎日24時間、私たちにあらゆるモノやサービスを提供してくれるコンビニエンス・ストア。便利な生活を実現する裏では、人手不足と長時間労働が常態化して、従業員の負担は重くなるばかりです。このため、「せめて深夜の営業だけは回避できないか」との声が関係者の間から聞かれるようになり、大手コンビニの本部でも対応に乗り出しています。

そうした中、米国ではITベンチャーが開発した移動式ロボットがウォルマートなど大型小売店舗の陳列棚で品切れの商品をチェックしたり、Eコマースの巨人アマゾンが画像認識AIを使ってレジをなくすなど店舗の省人化を進めています（詳細は第3章で）。

こうしたジョブ・オートメーション技術であれば、（少なくともコンビニなど一部業界では）日本の労働者から受け入れてもらえるかもしれません。

経営者の建て前と本音

よりグローバルな視点に立てば、AI・ロボットなどの職場進出は待ったなしの趨勢（すうせい）として労働者に迫りつつあります。ただし、それは必ずしも悪い予想ばかりではありません。

コンサルタント会社マッキンゼー・アンド・カンパニーでは「2030年までにAIによって世界全体で4億～8億人の雇用が奪われる一方で、新たに5億5500万～8億9000万人分の雇用が創出される」と予想しています。

毎年1月、スイスのダボスに政治・経済・科学など各界著名人を集めて開催される「世界経済フォーラム年次総会（通称ダボス会議）」でも、2019年における主要議題の一つはAIによるジョブ・オートメーションでした。

同フォーラムのパネル討議に参加した企業経営者らは、「人間（労働者）を中心に据えたAI」というモットーを表明。「もしもジョブ・オートメーションによって労働者の雇用が奪われる恐れが出てくれば、新たな職種に就くために必要な職業訓練や再教育などセーフティネットを提供する」と力説しました。

しかし、その舞台裏を取材した米ニューヨーク・タイムズ紙の記者によれば、彼ら経営者は、それら公式見解とは正反対の本音を（AI技術を開発する）IT企業の関係者らに漏らしていたそうです。[*6] つまり経営者らは今、互いに競うように仕事の自動化を進め、それが労働市場にもたらす衝撃についてはほとんど考えていないというのです。

中には、こうした姿勢を公言する経営者もいます。

台湾・鴻海（ホンハイ）科技集団の会長兼社長、郭台銘氏は「今から5～10年以内に従業員の80％をロボットに置き換える」と公言し、中国のEコマース大手JDドットコムの創業者兼CEO劉強東氏は「我が社はいつか業務の全てを自動化したい」と抱負を語っています。

さらに彼ら経営者が経済合理性に従って進めるジョブ・オートメーションは、実は私たちのような一般労働者にとっても恩恵であると考える人さえいます。

ラリー・ペイジ氏はフィナンシャル・タイムズとのインタビューで次のように語っています。

「たとえ（ジョブ・オートメーションによって）人々の雇用が破壊されたとして、（製品やサービスの）価格破壊によって、それは償われるでしょう。（中略）人々が欲するような生活は今より、もっともっと安く手に入るようになるはずです」

ペイジ氏は昨今、シリコンバレーの中心部で100万ドル（1億円以上）もするような住宅は本来5万ドル（500万～600万円）で買えるようになるべきと主張します。

こうした住宅バブル崩壊から始まる物価の下落は、誰もが恐れる「デフレ・スパイラル」に他なりませんが、資本主義システムにおいてはAIなど高度技術による効率性の追求と、それに伴う雇用・価格破壊は必然の帰結であるとペイジ氏は見ています。

「それが起こって欲しくないと望んだところで仕方ありません。今、私たちの経済システムの中に何か驚くべき能力が育まれようとしています。コンピュータがますます多くの仕事をできるようになり、それが私たちの仕事に対する考え方を変えつつあるのです。それを避けて通ることはできません」

もちろん、いくらグーグルの創業者とはいっても、ペイジ氏は経済の専門家ではありませんから、デフレなどに関する彼の見方が必ずしも正しいとは限りません。

またAIによる雇用破壊についてもさまざまな予想が聞かれます。

最も有名なのは2013年に英オックスフォード大学の研究者らが発表した「雇用の未来」と称する論文ですが、ここでは「米国で10～20年以内に全雇用の47%が（AIなどを搭載した）機械によって代替されるリスクが70%以上ある」と予想しました。

これに対し2016年に独ZEW研究所が発表した論文では、「（AIなどによる）自動化の可能性が7割を超える職業はOECD21ヵ国平均で9%に過ぎない」と推計しています。

大分、予想に開きがありますが、どちらが正しくて、どちらが間違っているというより、本来、この種の未来予想には限界があるということです。その理由としては「これから生まれる仕事の予測は困難」あるいは「(単に技術だけでなく)社会制度・慣習などが自動化の歯止めになる」などが考えられます。[*7]

そうした中、研究者らの間で最近、共通認識として浮上してきたのは「何らかのジョブ(仕事)が丸ごと奪われるというより、仕事の構成要素であるタスク(作業)がAI・ロボットによって置き換えられていくだろう」という見方です。

もしも、そうであるとするなら、私たち人間はAIを敵視するのではなく、むしろAIを自分の仕事の中で上手く活かしながら、生産性の向上やワークライフ・バランスの改善を図っていくべきでしょう。そのためには自分自身が来るAI時代に適応できるよう、再教育や職業訓練が必要になってきます。

フィンランドのAI人材計画

すでに海外では、そうした取り組みが始まっています。

北欧のIT先進国として知られるフィンランド。この国では今、AIを国是として掲げるユニークなプロジェクトが進行しています。[*8]

通称「1%AI計画」と呼ばれる同プロジェクトでは当初、フィンランド総人口の約1

％に当たる５万５０００人に、大学等を通じてＡＩの基礎教育を無料で提供します。さらに、その後、数年をかけて、徐々にその対象者数を増やしていこうとしています。

具体的には、これまでＡＩ技術には縁も所縁（ゆかり）もなかった歯科医の女性が、同プログラムを通じて「機械学習」や「ニューラルネット」など先端ＡＩの基本概念や、それを構築するためのプログラミング・スキルを学ぶ、といったケースがあります。

これらを学び終えた今、彼女はそこで習得したＡＩ関連の知識や技能を今後、自らの本業、つまり歯科医療に応用していくことを考えています。

フィンランド政府は今後、この「１％ＡＩ計画」を漸次（ぜんじ）拡大していくことで、将来は同国の労働者全員が先端ＡＩに通じた、いわば「ＡＩネイティブ」になることを期待しているのです。

ここに見られるように、フィンランドの「１％ＡＩ計画」は新たにＡＩの技術者や専門家を育成したり、ＡＩ技術の新規開発を進めるためのプロジェクトではありません。

むしろフィンランドの労働者全員がＡＩの基礎知識や技能を育み、それを自らの本業に役立てることで同国の産業全体の底上げや進化を促すことを狙っています。つまり「ＡＩ計画」とはいっても、ＡＩの技術開発ではなく、徹底的にアプリケーション志向のプロジェクトなのです。

このような計画（方針）を選択した理由について、フィンランドのミカ・リンティラ経済相は次のように語っています。

「我々（フィンランド）には、ＡＩ開発の分野で（世界的な）リーダーになれるほど十分なお金がありません。しかしＡＩを（産業各界で）応用するとなると、話は違ってきます」

この発言が示唆することは明らかです。

今、世界のＡＩ開発をリードしているのは米国と中国ですが、彼ら大国には、先端ＡＩを開発するための潤沢な資金や（膨大な人口をベースとする）多数の優れた研究者など人的資源が豊富にあります。しかし人口５００万人余りの小国フィンランドには、それらは望むべくもありません。

そうであるなら、ＡＩ開発で米中と競争することは最初から諦め、むしろ彼ら大国が開発してくれたＡＩの先端技術を自国の産業へと応用することに注力すべきではないか。つまりＡＩの開発大国ではなく、ＡＩの応用大国を目指す――これがフィンランドの選んだ道なのです。ある意味で非常に潔い、ほとんど開き直りに近い国家戦略と見ることもできます。

税金を投入しない国家プロジェクト

実は1%AI計画はフィンランド政府が主導する国家プロジェクトではなく、ある民間企業と大学の共同プロジェクトとして始まりました。

2018年5月、多国籍のコンサルティング会社「リアクター」とヘルシンキ大学コンピュータ・サイエンス学部が共同で、AIの教育プログラムを無償で市民に提供しました。

ここから彼らは多数の大手企業にも働きかけ、2018年12月までに約250社が、この教育プログラムのスポンサーになりました。これにより(まだ当初目標の5万5000人には達しないものの、すでに)1万人以上の労働者が同プログラムを卒業して、AI関連の基本知識やスキルを習得することができました。

その卒業式にフィンランドのサウリ・ニーニスト大統領が出席し、これによって同プログラムは事実上の国家政策として認められました。これが1%AI計画なのです。

フィンランドは今後、隣国のエストニアやスウェーデンなどとも連携し、「AI技術の試験場」あるいは「AIアプリケーションの研究所」として欧州ナンバーワンの座を目指していくといいます。

膨大な投資余力と労働人口を兼ね備えた米中の狭間で、これからの自国のポジショニングに腐心する点ではフィンランドと日本は基本的に同じです。だからといって「日本はA

Iの自主開発を諦めたほうがいい」などと言うつもりは筆者も毛頭ありませんし、フィンランド政府や1％ＡＩ計画の関係者も自国のＡＩ研究者に向かって、そんなことを言っているわけではないでしょう。

とはいえ、経済的な基礎体力が並外れた大国に真正面から体当たりするよりは搦め手から攻めるというのは、奇策というより正解という表現が妥当でしょう。こう言ってしまうと結局は一般論になってしまいますが、フィンランドが打ち出したユニークなＡＩ戦略から日本が学ぶところがあるとすれば、むしろそこでしょう。

実際、こうした海外の動きに触発され、日本政府も動き出しました。政府の統合イノベーション戦略推進会議は2019年3月、日本のＡＩ戦略を発表。その理念として「数理・データサイエンス・ＡＩはデジタル社会の読み・書き・そろばん」と謳っています。

また戦略目標に「人材」を掲げ、「人口比において最もＡＩ時代に対応した人材を育成・吸引する国となり、持続的に実現する仕組みを構築」するとしています。

このために教育を改革し、大学や高専などでは文理を問わず、ＡＩリテラシー教育を50万人に展開し、ＡＩを使いこなせる人材を年間25万人育成するという目標を掲げました。

さらに社会人に対しても「基本的情報知識とＡＩ実践的活用スキルを習得する機会」を提供するとし、具体的には「職業訓練の推進」や「スキル習得プログラムの拡充（就職等への活用促進）」を行うそうです。

ただ、民間から始まったフィンランドのＡＩ計画とは対照的に、日本の場合は政府主導のプロジェクトですから、当然かなりの国家予算が必要になります。ここが両者の大きな違いです。

ＡＩにできることと、できないことの判定基準

日本政府のＡＩ計画が人材育成を最優先の課題として挙げた背景には、言うまでもなく労働人口の急激な減少があります。

厚生労働省が２０１９年１月に公表した就業者推計では、高齢者人口がピークを迎える２０４０年には、就業者の数は２０１７年に比べて最大１２８５万人（20％）減の５２４５万人になると試算。より楽観的なシナリオでも、２０１７年に比べ８％減少する見通しです。

これに対処するために女性や高齢者、さらには外国人らの労働参加が従来以上に必要とされますが、同時に生産性の向上も不可欠となってきます。

政府が推進してきた働き方改革はその大きな柱ですが、それと並んで、あるいはそれ以上に大きな役割を果たすかもしれないのが、ＡＩや先端ロボットの導入による生産性の向上です。これを実現するために、政府はＡＩリテラシー教育やスキル習得プログラムなど

によって、この高度技術を使いこなせる人材を増やそうとしているのです。

しかし、そこには注意が必要です。

確かにＡＩは「（20世紀の文明社会をもたらした）電気に匹敵する、21世紀の新たなインフラ」とも称されるほど、暮らしの利便性や社会の生産性を高めることが期待されています。

しかし一方で「囲碁や将棋ソフトが名人を打ち負かした」あるいは「２０４５年にＡＩの能力が人類を凌駕する」といった派手なメディア報道などによって、「ＡＩは何でもできる」という過度の期待が人々の潜在意識に組み込まれてしまったきらいもあります。

実際のＡＩはどんな難しい仕事でもこなせる魔法の杖ではありません。

現在のＡＩにはできることとできないことがあり、それをきちんとわきまえていないと、最初からできもしない業務改善計画や現実離れした生産性向上プロジェクトを立ち上げてしまうなど、時間や資金、人的リソースの多大な空費に終わる恐れもあります。

かつて米グーグルや中国の百度（バイドゥ）でＡＩ開発プロジェクトを指揮し、現在の世界的ＡＩブームを巻き起こした立て役者の一人である米スタンフォード大学のアンドリュー・ング（Andrew Ng）博士は、今のＡＩにできることと、できないことを見分けるために次のような判定基準を示しています。[*9]

「私たち人間がわずか数秒でできるような単純作業は、今のＡＩにも容易にできます。逆に私たちが長い時間をかけて熟考しなければならない複雑な仕事は、今のＡＩにはできません」

たとえば私たちは何か物を見たときに、瞬時にそれが何であるかを見分けることができます。このような作業なら今のＡＩにも比較的容易にできます。それが（前述の）ディープラーニングによる「画像認識」と呼ばれる作業（技術）です。

あるいは私たちは目の前にいる人が何か言った時、その音声から瞬時に言葉を聞き取ることができます。このような作業も今のＡＩが得意とするところで、それはアップルの「シリ」やグーグルの音声検索、あるいはアマゾンの対話型スピーカー「エコー（アレクサ）」などに搭載されている「音声認識」と呼ばれる技術です。

これらの技術は一般に「パターン認識」と呼ばれ、さまざまなデータの中から、ある種の規則性や類似性を見出す作業ということもできます。もちろん例外もありますが、私たち人間はおおむね、こうしたパターン認識を得意とし、しかも比較的短時間でやってのけます。

このように直観的な単純作業であれば、現代ＡＩは比較的容易に行うことができるのです。もっとも人間が簡単にできることを、なぜあえてＡＩやロボットにやらせる必要があるのか？　そんな疑問を抱く方もおられるかもしれませんが、これらAIを搭載したコンピュータや機械は、疲れを知らずに大量の仕事を高速でこなせるというメリットがあります。これは私たち人間にはできません。

逆に私たちが長い時間をかけて取り組まなければならない複雑で高度な仕事、たとえば「最近の市場動向を詳しく分析して、100ページの報告書にまとめる」といった仕事は今のAIにはできません。

AI研究は未だ1合目

より具体的なケースとして、ング博士はEコマース企業がAIを業務に導入する場合を例に説明しています。

ある日、顧客から次のようなメールが同社のカスタマー・サポート部門に送られてきました。

「先日、私が注文した玩具が予定より2日遅れて届いたために、姪の誕生日プレゼントに間に合いませんでした。この玩具を返品して、お金を払い戻してもらうことはできますか？」

これに対し、現在のAIができることは、このメールを同社の返品（返金）部門に自動転送することです。つまりこのメールの文面を解析し、そこからある種のパターンを見出ことによって、「このメールは『返品部門』『商品配送部門』『その他』という3種類の選択肢のうち、返品部門で対応するのが最も適切である」と瞬時に判断して転送すること。これなら今のAIは比較的容易に行うことができます。

逆に今のAIにできないことは、このメールに直接、次のような返事を書くことです。「ご迷惑をおかけして、まことに申し訳ございません。姪御さんが良い誕生日を迎えられたことを願っております。もちろんご返品いただいた上で、すでに支払われた代金はすぐに払い戻させていただきます」

このようにメールの内容をよく吟味し、相手の気持ちに配慮して心のこもった返事を書くことは今のAIにはとてもできないとング博士は釘を刺します。

現代AIはまた、私たちの意図を正確に汲み取ることができません。

たとえばディープラーニングに基づく画像認識システムが、歩道に立ち止まって片手を上げている人を見つけたとしましょう。

このAIシステムはそれが人間であることを瞬時に認識しますが、この人が一体何のために片手を上げているのか、その意図までは理解できません。車道を走るクルマを停めようとしているジェスチャーなのか、それとも単に上空を飛ぶ鳥を指さしているだけなのか、区別ができないのです。

仮に近い将来、このＡＩシステムが自動運転タクシーに搭載されたとすれば、それはタクシーを拾おうと片手を上げた人を無視して通り過ぎてしまうでしょう。

もちろんディープラーニングに使われる教師用データの量を増やせば、パターン認識の精度が高まるので、理論的には、この種の問題に対処できるはずです。しかし現実問題としては、こうした紛らわしい事例が実社会には山ほど存在するため、とても対処しきれません。

つまりＡＩによるパターン認識で、人間の複雑な意図を理解するのは現時点では非常に難しいのです。

ただ、ここまで読まれた皆さんの中には、次のような疑問が頭に浮かんだ方もおられるかもしれません。

「なるほど、今のＡＩにできることとできないことはよくわかった。でも、ＡＩ技術は日進月歩で進化してるんでしょう。だったら今できないことも、すぐにできるようになるはずだから、今の技術レベルを見ただけでＡＩに任せる仕事を決めつけてしまうのは早計なんじゃないの？」

確かに、理屈ではそうです。しかし実際には、ディープラーニングに代表される現代ＡＩはすでに大きな技術的ブレークスルーを成し遂げたと見られています。

それはもちろん、ＡＩの技術開発が早くも完成の域に達したという意味ではありません。実際はその逆です。世界のＡＩ研究者が最終的に目指しているものが、我々人類のような汎用知能の実現であるとすれば、現在のＡＩはその最終目標（山頂）の１合目にも達していないでしょう。

私たちはふだん、あまり意識して考えたりはしませんが、人間に備わっている知的能力は実に多彩で深みを帯びています。

たとえば異なる事象の間に共通性や規則性を見出すパターン認識、原因と結果の因果関係や内部のしくみ・カラクリを見抜く洞察力、さまざまな知識を整理し組み合わせて体系化するシステム能力、電子・原子のようなミクロから宇宙空間のようなマクロまでスケールの違いに応じて異なる物理法則を打ち立てる柔軟性、時間の流れに応じて物事が変化することを受け入れる動的理解力……数え上げればきりがありませんが、これら多面的で奥深い能力の中で、これまでＡＩが目立った成果を上げたのはパターン認識だけです。

ここまで到達するだけでも、ゆうに半世紀を超えるＡＩ研究を必要としました。ここから、さらに上のステップに上ろうとすれば、相応の時間を必要とすることは容易に察しがつきます。ですから少なくとも当面の間は、ング博士が提案する判断基準に従ってＡＩを業務に導入していくことが妥当と思われるのです。

ジョブ・オートメーションの罠

こうしたＡＩによる仕事の自動化を進める上では、セキュリティに十分配慮する必要があります。これは多くの人命を預かる航空産業などにおいて特に留意すべき事柄です。

２０１９年３月、エチオピアのボレ国際空港を離陸したエチオピア航空３０２便（ボーイング７３７ＭＡＸ８）が離陸後間もなく墜落。乗員乗客１５７名の全員が死亡しました。同じ機体は２０１８年10月にも、インドネシアのジャカルタ空港を離陸したライオン航空機で１８９名が死亡する墜落事故を起こしていました。

いずれの原因も、ボーイング７３７ＭＡＸ８に装備されていた「ＭＣＡＳ」と呼ばれる失速防止装置の誤作動にありました。機体に取り付けられたセンサーが誤って機体仰角を過度に見積もり、この情報を受けたＭＣＡＳが（実際は起きていなかった）前方からの風圧による失速を避けるために機首を大きく下げることを機体に指令。パイロットがいくら操縦桿で機首を戻そうとしても、ＭＣＡＳがその度に機首を下げてしまうので、これに抗うことができず墜落したと見られています。

ＭＣＡＳのようなシステムをＡＩと呼ぶか否かはさておき、これらの事故には航空機という機械の制御権を、パイロットという人間から機械自体に譲り渡すことの危険性が如実に表れています。

専門家によれば、過去のボーイング機は人間と機械の判断が対立した場合には人間を優先するよう設計されていましたが、737MAX8においては（パイロットの再訓練を省くなど）経済性を重視する余り、機械を優先するように設計の方針転換があったと見られています。[*10]

この種の事故は今後、自動運転の技術が実用化されれば、タクシーやトラック運送、バスなど陸上交通ビジネスにも広がっていく恐れがあります。早くも2016〜18年にかけて、米国の電気自動車メーカー「テスラ」や、配車サービス大手「ウーバー」などが開発した自動運転車が死亡事故を起こしています。

これらの車両に搭載されているディープラーニングのような現代AIは、内部のしくみがブラックボックス化されていて専門家でもよくわからないといわれます。このため仮に事故を起こしても、その原因を突き止めることが難しい等、事後対策への課題を残しています。

もちろん統計的に見れば、制御の自動化は航空機や自動車の安全性を高めることがわかっています。しかし、そうした傾向が進むほど、私たちは自動化システムへの依存を強めることになり、万一への警戒感が失われると同時に危機的事態への対応力も衰えていきます。

現代AIはまた、悪意を持ったハッカーの攻撃に容易に騙されてしまうという問題も抱えています。

ディープラーニングに基づく画像認識システムに「ウサギ」の写真を見せると、通常なら「これはウサギ」と認識します。

ところが、ある研究者がこのデジタル写真のピクセル値をほんのちょっと変えただけで、画像認識システムはこれを「机」と認識してしまいました。もちろん、この程度の変化では、私たち人間の目には相変わらず「ウサギ」としか見えません。

こうした攻撃の脅威に晒されているのが、自動運転車に搭載されるAIです。悪意を持ったハッカーが交通標識に細工を加えれば、人間の目には「止まれ」と映る標識が自動運転車の目(AI)には「直進」と映るかもしれません。

あるいは米カーネギーメロン大学の研究チームによる実験では、意図的にAIを欺く目的で設計されたサイケデリックなデザインの眼鏡をかけた男性を、ディープラーニングの顔認識システムは(ハリウッド女優の)ミラ・ジョヴォヴィッチと誤って認識してしまいました。

この技術を誰かが悪用すれば、AIを使った顔認証システムを騙して(本来入る権限のない)ビルに入館したり、他人になりすまして口座からお金を引き出すことも可能になってしまうでしょう。

さらに最近では、ディープラーニングを悪用した「ディープフェイク」と呼ばれる人物画像の合成技術が米国の政界や報道界などで波紋を広げています。この技術を使うと、本物の政治家の映像を人工的に作り出し、政治家本人が実際に言っていないことを言ったかのように見せかけることができてしまうからです。

ＡＩが引き起こす社会差別

今後、ＡＩが産業各界に導入されていくにつれ、それがさまざまな社会差別を引き起こすとの懸念も聞かれ、すでにビジネスの現場では問題化しています。

２０１８年秋、日本の個人向け融資サービスを提供するベンチャー企業にクレームが寄せられました。[*11]

この融資サービスでは、（借り手の）学歴や趣味、性格などから人工知能がクレジット・スコアを算出し、これによって（金利など）貸し出し条件を決めていますが、「年収や職業など他の条件が同じでも、性別を男性から女性にするだけでスコアが下がる（つまり貸し出し条件が厳しくなる）」という指摘が寄せられたのです。

同社の最高情報責任者は迷った末、ＡＩのアルゴリズムを修正して（スコア算出の際に）性別の影響を弱めることにしました。これによって審査精度が下がる恐れもありましたが、「人権に配慮していると理解されるのが最優先だ」と判断したためです。

こうした問題は、ＡＩが図らずも暴き出した現代社会の実相でもあります。

今のＡＩは独力で考えるというより、この世界を行き交う大量のデータを参考にすることで重要な判定を下しています。それは現代社会と、そこに生きる私たち自身を映し出す「データの鏡」なのです。

人工知能が算出するクレジット・スコアで女性が男性より低くなるのは、女性が男性よりも金を返さないというより、女性が経済的に不利な立場に置かれている現代社会の不都合な真実をデータが反映していると見るべきでしょう。

今後、多様性を深める日本社会において、性別や年齢、あるいは人種や身体的ハンディキャップなどさまざまな側面における差別がデータとして蓄積されていくでしょう。この点に留意することなくＡＩを日常業務に導入すれば、さらに社会差別を助長する恐れがあります。

むしろＡＩのアルゴリズムを私たち人間が調整することによって、本来あるべき社会に近づけていく等の工夫が必要となってくるのではないでしょうか。

これに続く各章では、ＡＩを搭載した自動運転や次世代ロボットなど各分野に焦点を当て、その現状や課題などを詳しく見ていくことにしましょう。

第2章

自動運転車はなぜ人に憎まれるのか？

――ギグ・エコノミーの先にあるもの

テスト走行中に起こる嫌がらせ事件

公道を走行中に道端の誰かから石を投げられ、交差点で停車すると刃物でタイヤを切りつけられる——グーグルが開発した自動運転車は米国内で悪質な嫌がらせに遭っています。

2016年にアルファベット（グーグルの持ち株会社）から分社化して自動運転車の実用化（商用化）に挑んでいるウェイモ社は、これまで米国内の複数州にわたる数十の都市で、その走行テストを続けてきました。

このうちアリゾナ州のチャンドラーという都市では、グーグル（ウェイモ）の自動運転車は約2年間で（警察に通報されただけでも）21件に上る嫌がらせ事件の被害に遭っています。[*1]

ある時などは、住居の庭から男が、目の前の道路を通過する自動運転車に銃を向けて威嚇することもありました（弾は発射しませんでした）。

警察に逮捕・尋問された男は、こんなことをした理由として（米国の配車サービス大手）ウーバーの名前を挙げました。同社が開発中の自動運転車が2018年3月、アリゾナ州の公道を試験走行中に女性歩行者をはねて死亡させましたが、男はこれに対する憤りから犯行に及んだというのです。

ウェイモの関係者にしてみれば、違う会社が起こした事故のせいで自分たちが脅される

写真１　ウェイモの自動運転車（The New York Times／アフロ）

のは心外かもしれませんが、自動運転車を憎悪する人たちから見れば、どの会社の車も皆同じというわけです。

これ以外にもグーグルの自動運転車は沿道の人々から野次を浴びせられたり、同一のジープから（日を変えて）６回も煽り運転されて危うく事故を起こしかけたり、タイヤを切りつけられたり、少なくとも４回に上る投石事件の被害を受けています。

しかし、何らかの非常事態に備えて車内に待機している予備運転手は基本的に会社（ウェイモ）には通報しますが、世間体を気にして、よほどのことがない限り、警察には通報しません。このため（前述の）21件というのは氷山の一角で、実際には、もっと多くの嫌がらせや脅しを受けていると見られます。

なぜ、グーグルの（というより、一般に）自動運転車は一部の人々から、これほどまでに憎まれるのでしょうか？　この理由を専門家は次のように見ています。

「多くの人々は、テクノロジーがあまりにも速く進化することで自分たちの仕事が奪われることを恐れています。中流の人たちでも、自分の給与が近年停滞ないしは減少しているなら、自動運転のような技術的ブレークスルーを喜ぶ気にはなれないでしょう。

いつの世にも勝ち組と負け組がいますが、自動運転車に嫌がらせをする人たちは恐らく後者です。彼らにとって、そうした行為は（自分たちを置き去りにして進化する社会への）ある種の腹いせを意味するのです」（アリゾナ州立大学・情報システム学科のフィル・サイモン講師）

このような見解は確かに一理あります。

ただ、彼らのような人たちが米国で大多数を占めているというわけでもありません。

２０１７年に米ピュー・リサーチセンターが実施した世論調査では、回答者全体の94％が「自動運転車が現在、開発中であることを多かれ少なかれ承知している」と答えました。[*2]

そのうちの22％は自動運転を「おおむね肯定的」、12％は「おおむね否定的」に見ていると回答。しかし残りの66％、つまり大多数は「どちらとも言えない」と答えました。

また同じ調査で全体の65％は「今から50年以内に大半のクルマは自動運転になるだろう」と回答しています。

これらの調査結果を見る限り、米国民（消費者）の大多数は好むと好まざるとにかかわらず、「運転の自動化は時代の趨勢であり、これに逆らうことはできない」と感じているようです。

大転換期に突入した自動車産業

米国の消費者は自動運転の到来を複雑な気持ちで受け止めていますが、それを提供する自動車業界の関係者も実は似たような気持ちを抱いています。

世界の自動車産業は今「百年に一度」といわれる大変革期に突入しつつありますが、それは主に3つの要素からなります。

1つめはガソリンを中心とする内燃エンジンから電気モーター、つまり電気自動車への移行。2つめは手動運転から自動運転への転換。そして3つめはいわゆる「MaaS（Mobility As A Service）」、つまりクルマを所有する形から必要なときだけ使うサービスへの移行です。

これらの変革はいずれもテスラやグーグル、あるいはウーバーなど米IT業界（シリコンバレー）が主導するものであり、率直に言って（米国のみならず世界の）自動車業界はやむを得ず、それに対応している感があります。

確かにトヨタやゼネラル・モーターズ（GM）、フォルクスワーゲンなど世界の主要メーカーは近年、AI研究所などを新設して自動運転の開発に注力しています。トヨタに至っては、静岡県内に広さ70万㎡に及ぶ「Woven City（ウーブン・シティ）」と呼ばれる実験都市を建設し、そこに約2000人の研究員を住まわせて、自動運転技術や関連サービスの開発に乗り出すという壮大なプロジェクトを発表しました。

しかし、こうした耳目を引く事業計画などは、自動車メーカー各社が自らの先進性を世間にアピールするPR戦略に過ぎないのではないかと筆者は考えています。後述するように、自動運転の実用化に前のめりなグーグルやテスラなどIT企業とは対照的に、伝統的な自動車メーカーはこれについて保守的な見通しや姿勢に終始しているからです。

彼らがあまり乗り気でない理由の一つは大変革に伴う巨額の費用です。

米コンサルティング会社アリックスパートナーズの試算では、トヨタやフォルクスワーゲンをはじめ世界の主要メーカーが自動運転や電気自動車に移行するために、今後5年間で少なくとも4000億ドル（40兆円以上）の先行投資が必要と見ています。

また、その過程で労働者の大量解雇や部品メーカーなどサプライ・チェーンの抜本的刷新を余儀なくされます。よく言われるように、電気自動車では従来の自動車に比べて部品点数が大幅に減少する上、組み立て工程も簡略化されるからです。

主要な自動車メーカーは世界全体で約８００万人の従業員を抱えていますが、これにブレーキやタイヤ、シートなど部品の製造業者をはじめ関連企業を加えれば、業界全体の雇用者数はその何倍にも膨れ上がります。

この膨大な雇用が危機に晒されているのです。ドイツの自動車業界では、近い将来、その労働者の半数が職を奪われるとの試算もあるほどです。[*3]

このような大変革の嵐に備え、世界の主要メーカーは合従連衡を模索しています。

２０１９年７月、米フォードと独フォルクスワーゲンが自動運転技術の共同開発と電気自動車の部品共有のために提携。また２０１９年12月には、フィアット・クライスラー（ＦＣＡ）と仏プジョー（ＰＳＡ）が合併し、世界第４位となる巨大メーカーが誕生することになりました。

こうした動きが起きるのは、自動運転のような次世代技術の開発・商品化には莫大なコストがかかるため、いかに大手メーカーといえども単独では、それに持ちこたえられないと見られるからです。

これとは対照的なのが、ＩＴを駆使して大変革をリードする新興ベンチャーに対する評価です。「動くコンピュータ」とも称されるハイテク電気自動車を製造販売するテスラの時価総額は２０２０年１月、１０００億ドル（11兆円以上）を突破し、ドイツのフォルクスワーゲンを抜いて、トヨタに次ぐ世界第2位に躍進。また2019年5月に上場した直後のウーバーの時価総額はGMやフォードを上回りました。

テスラもウーバーも最近まで巨額の赤字を計上してきましたが、金融市場における評価では（例年何十億ドルもの利益を上げている）伝統的な自動車メーカーよりも上位にあるのです。米国の投資家たちは、未来のモビリティ（運輸交通）産業を担うのは、こうした新しい企業になると見ているようです。

ウーバーとは何か

中でもウーバー（正式社名はウーバー・テクノロジーズ）は良きにつけ悪しきにつけ、世界的に大きな注目を集めてきました。

同社は2019年4月、トヨタとデンソー、そしてソフトバンク・ビジョン・ファンドから総額10億ドル（約1100億円）の出資を受けるなど、日本の自動車・投資業界からも一目置かれる存在です。同社の来し方行く末を見れば、（自動車を中心とする）モビリティ産業の未来図が自ずと見えてきます。

2009年、起業家のトラビス・カラニックとコンピュータプログラマーのギャレット・キャンプの両氏によって設立されたウーバー（本社：サンフランシスコ）は、スマホアプリを使った配車サービス業者の草分けにして、中国の滴滴（ディディ）と並び世界で一、二のシェアを争う業界大手です。

単なる配車サービスであれば、以前から世界各国で営まれてきたビジネスです。米国では「リムジン」あるいは「カー・サービス」、日本では「ハイヤー」などと呼ばれていますが、いずれも客が電話で予約すれば、（営業所に待機している）運転手付きのクルマが所定の時間に自宅やホテルまで迎えにきて、そこから行く先まで運んでくれる有料サービスです。

タクシーと配車サービスの主な違いは、タクシーが駅前や空港などの指定乗り場や街中における「流し営業」であるのに対し、配車サービスは客が電話予約してクルマを呼び寄せる「予約営業」であることです。

こうした従来の配車サービスに対し、ウーバーでは客がスマホアプリでクルマを予約して呼び寄せる点が最大の特徴です。このやり方だと（自宅やホテルなどに限らず）駅前や街中からも運転手付きのクルマに乗ることができるので、この点ではタクシーに近いともいえます。

ウーバーのもう一つの特徴は、そのドライバー（運転手）が同社の従業員ではなくて、むしろ「独立請負業者」に該当することです。彼らはタクシー等の営業免許を持たない一般人、言わば素人運転手ですが、ウーバーと契約を結ぶことで、そのアプリを使って営業ができるようになります。彼らは「ウーバー・ドライバー」と呼ばれます。

客が街中からアプリで予約すると、比較的近くにいて手の空いているウーバー・ドライバーが自家用車で客を迎えに来ます。料金（運賃）は需要と供給による変動相場制ですが、おおむねタクシーより割安である上、乗車する前に決まるので客は安心できます。

またアプリ経由のクレジットカード払いなので、チップや釣り銭など面倒な小銭のやりとりは無用。こうした安さと手軽さが、客側から見たウーバー人気の主な理由となっています。

一方、ドライバーつまり労働者側の視点に立った場合、ウーバーはいわゆる「ギグ・エコノミー」の代表と見られています。

一般にギグ・エコノミーとは「（労働者が）企業に就職するのではなく、スマホアプリやインターネットを使って単発または短期の仕事を請け負う労働環境」を意味します。その最大の長所は、企業の就業規則に束縛されない自由気ままなワークスタイル（働き方）です。

ウーバー・ドライバーはまさにそれに該当します。基本的には好きな時間にアプリで見つけた客を自家用車で目的地まで運び、適当な時間に切り上げて他の用事を片づけたり、友人と会って食事をしたり、遊んだりするのも自由です（後述しますが、それは理想に過ぎず、実際はそんなに甘くありません）。また客が支払った料金の7割はドライバー、残り3割がウーバーの取り分となります。

ただしウーバー・ドライバーはあくまで独立請負業者ですから、自動車保険には自分で加入しなければならないし、タイヤが古くなれば自費で交換しなければなりません。ガソリン代や故障したクルマの修理代なども当然、自腹です。さらに会社従業員であれば当然支給されるはずの福利厚生も一切受けられません。

この点が逆にウーバー、つまり企業側から見た最大のメリットになっています。正規従業員（ドライバー）を雇用するのに必要な固定人件費や関連コストを節約できるので、非常に効率的な経営が可能になるというわけです（この点についても、実際はそんなに甘くありません。詳細は後述）。

こうした配車サービス以外にも、ウーバーは多彩なモビリティビジネスを展開しています。「カー・プール」と呼ばれるサービスでは、いわゆる「相乗り」の相手を見つけてくれます。つまり一台のクルマに（互いに見知らぬ）複数のユーザーが相乗りして目的地まで行き、ガソリン代など交通費をシェアします。この同乗者探しを行うマッチングサービスを、ウーバーのアプリで提供しているのです。

また「カーシェア」と呼ばれるサービスでは、個人のクルマを（それが使用されていない時間帯に）別のユーザーに時間貸しすることを可能にします。これらのサービスは、ユーザー同士の費用節約や車の有効活用を目的とするものです。

さらに最近ではファストフード店やレストラン等の料理を宅配する「ウーバー・イーツ」や貨物トラックの配車サービス、電動キックボードのレンタルなど業務の多角化を進めています。

よく新聞やテレビなどがウーバー（の業種）を紹介する際、「配車サービス」「ライドシェア」「相乗りサービス」「カーシェア」など、いろいろな呼び方をして若干混乱を招いていますが、実際のウーバーはそれら全てを提供しているマルチ・サービス業者なのです。ただし事業の根幹は、あくまでウーバー・ドライバーによる配車サービスです。

ウーバーとタクシー業界の争い

２００９年に設立されたウーバーが、準備期間を経て正式に配車サービスを開始したのは２０１１年。同社の本社がある米サンフランシスコからスタートしましたが、利用者間の高い評判と好意的なメディア報道を追い風にして瞬く間にビジネスを拡大していきました。

２０１９年には世界78ヵ国７００都市以上でサービスを提供し、約１億１０００万人のユーザーがそれを利用していると見られます。

ただ、ここに至るまでの道程は順風満帆とはいえませんでした。それは「規制との戦いの歴史」と言っても過言ではありません。

ウーバーの配車サービスは、日本ではいわゆる「白タク」と呼ばれる違法行為に該当するため提供できません。このため同社の日本法人は、タクシーやハイヤーの事業者と提携して配車アプリを提供しています。また英国、フランス、ドイツ等では完全な違法とはいえませんが、法的にはグレーゾーンに分類された時期もありました。

そもそもお膝元の米国にしてからが、州・都市毎に規制が異なるため、それに応じてウーバーは配車サービスを展開できたり、できなかったりといった事態が繰り返されました。

ただ、同社は非常に強引な経営方針で知られます。本来ウーバーのようなビジネスが禁止、ないしはグレーゾーンとされている地域にも平気で進出し、とにかくビジネスを開始してしまうのです。その後で、ユーザーの強い支持を追い風に規制当局との交渉で妥協を引き出し、最終的に「アプリによる配車サービス」を自治体に認めさせていきました。

しかし、このように強引なウーバーのやり方は、必然的に地元のタクシー業界、リムジン業界など既存勢力からの強い反発を招きます。

これまで米国のタクシー業界は強固な規制に守られてきました。ニューヨークやシカゴなど主要都市でタクシードライバーになるためには、通称「メダリオン」と呼ばれる営業免許を取得する必要があります。

このためには、まずシティホール（市役所）の「タクシー&リムジン委員会（TLC）」という部署に数百ドルの申請費を払い、必要書類に記入して提出すると、申請者の交通違反や犯罪歴などバックグラウンドをTLCが審査します。

しかし、これは最初のステップに過ぎません。審査をパスした人は、大金を払ってメダリオンを入手する必要があります。メダリオンは伝統的にドライバー個人の間で売買することが慣例化しています。中でもニューヨークにおけるメダリオンの市場価格は、2014年に約130万ドル（1億3000万円以上）という最高値を付けたことで話題になりました。

このような大金を工面するため、ドライバーはまず自分の預金を引き出し、次にお金を貸してくれそうな親戚や友人からお金を掻き集めて、それでも足りなければ銀行から融資を受けます。

なぜ、そこまでしてタクシー運転手になろうとするのか不思議に思われるかもしれませんが、彼らの多くはインドや中南米系を中心とする移民で、それ以前の仕事が低給与の単純労働である場合がほとんどです。

そのような昇進・昇給の見込みが全くない仕事に比べ、一生懸命働けば、その分だけ収入も増えるタクシー運転手は、彼らにとって憧れの職業なのです。銀行はこうした人たちに向けて、メダリオンを買うための特別融資プランを用意しているほどです。

メダリオンがこのように高額売買される理由は、その数が限られているからです。

ニューヨーク市は「交通渋滞の防止」などを理由にメダリオンの発行総数を意図的に抑えており、2017年の時点で市内を走るイエローキャブ（NYタクシーの通称）の総数は1万3500台あまりに限定されていました。結果的に街中を走るタクシーの数は常に不足気味となり、客にとってはタクシーを捕まえづらくなるので、長年ニューヨーカーの不満の種となっていました。

それでもメダリオンは数年に1度、300個程度が市役所から新規発行されますが、オークション形式なので、そのときの市場価格が高ければ高いほど、ニューヨーク市が得る収入も多くなります。つまりメダリオンの価格が高騰することは市にとっても好都合なのです。

こうした状況の中、ウーバーがニューヨークに乗り込んできました。同社はタクシー業者ではありませんから、そのドライバーにメダリオンは必要ありません。誰でもTLCに申請費を払ってバックグラウンド審査をパスすれば、ウーバーと契約することができます。

ウーバー・ドライバーになると、その人の自家用車には「TLC」の文字が記入されたナンバープレートが付けられます。無免許タクシーとは明らかに区別されるので、ウーバー・ドライバーは晴れてニューヨークで（事実上の）タクシー営業ができるわけです。が、こんなことをすれば、イエローキャブのドライバーや、その同業者組合が黙っているはずがありません。

確かにウーバーのクルマが市内に押し寄せれば、それまでタクシー不足に悩まされてきたニューヨーカーたちは喜びます。しかし逆にイエローキャブの運転手は大勢の客をウーバーに奪われてしまいますから、収入はガタ落ちです。

また彼らがせっかく大金をはたいて入手したメダリオンも、ウーバーがニューヨークで営業を開始してから、その市場価格が（最高値の）１３０万ドルから20万ドル（約２２００万円）へと急落してしまいました。メダリオンを買うために組んだ高額ローンが返せなくて、破産したり自殺するタクシー運転手が増加するなど社会問題化しています。[*4]

タクシー運転手の組合が激しい抗議運動を展開した結果、２０１８年8月、ニューヨーク市は配車サービスの免許数に上限規制を設けました。これは事実上ウーバーや同業他社のリフトなどを対象にした規制と見られています。つまりアプリ配車サービスのドライバーに定員枠を設けて、それを超える数のドライバーが免許申請しても受け付けないことに決めたのです。

この定員枠は間もなく一杯になってしまいました。結果、ウーバーはニューヨークで新規ドライバーを募集できなくなりましたが、この上限規制を撤廃すべくニューヨーク市を提訴しました。こうした強気の姿勢がウーバーの急激な事業拡大を支えてきたのです。

規制や既得権との闘い

ウーバーは英国でも規制と闘っています。同社は現在40以上の都市で営業していますが、2012年に進出した首都ロンドンでは4万5000人のウーバー・ドライバーを使って、年間1600万人以上の顧客に配車サービスを提供していると見られます。その料金は従来のタクシーよりも平均3割程度、割安となっています。

しかしロンドンの交通当局は、ウーバーの顧客の「身の安全」やドライバーの労働環境等に問題があるとして同社を厳しく規制しています。

2017年9月に営業免許の延長申請を当局から却下されたウーバーは裁判で争い、結局その延長を認められました。しかし2019年11月には、「ウーバー・ドライバーが不正に自分の営業アカウントを他人と使い回している」等の理由から、交通当局は再びウーバーの営業免許の延長申請を却下。ここでもウーバーは裁判所に提訴するなど、両者の諍(いさか)いはほとんど常態化しています。

またロンドンの地元タクシーやハイヤーなど伝統的業界とも摩擦を引き起こしていま

す。通称「ブラック・キャブ」と呼ばれるロンドン・タクシーの運転手は特権意識が強い上に、その大半は英国生まれの白人であるため、移民の有色人種が大多数を占めるウーバー・ドライバーへの反発は、一種の人種差別的な側面も帯びているとの声も聞かれます。

さらにドイツ、スペイン、イタリア、デンマークなどでは、英国以上に厳しくウーバーを規制しています。欧州では同社ビジネスが法的なグレーゾーンに置かれていると言われる所以(ゆえん)です。

そうした規制や既得権と争う強引なやり方が反発を招き、ウーバーは世界各国で、タクシードライバーの大規模デモなど激しい抵抗運動に遭っています。また米テキサス州のオースティンを筆頭に、カナダ、ブラジル、イタリア、ブルガリア、デンマーク、ハンガリーなどでは、規制を巡る訴訟に巻き込まれています。

規制の争点ともいえるウーバーの安全性については、以前から各国の交通当局で懸念の声が上がっていました。

これに対し同社は2019年12月、自ら実施した調査結果を発表。それによれば、米国内では2018年に計3045件の性的暴行事件がウーバー・ドライバーによって引き起こされました。しかし、これは約13億回に上る乗車回数全体の0・0002%に過ぎない、と同社は主張しています。

ギグ・エコノミーの実態

規制当局や伝統的タクシー業界などからの攻撃に加え、本来身内であるはずのウーバー・ドライバーも、世界各地でストライキやデモ行進などウーバーに対する激しい抗議運動を繰り広げています。その理由は、彼らの労働環境が過酷であると同時に報酬が不十分であるからです。

もともとウーバーはギグ・エコノミーの旗手として、独立請負業者のドライバーを惹きつけてきました。

ウーバーの共同創業者でCEO（最高経営責任者）も務めた、トラビス・カラニック氏は2016年に次のように語っています。

「ウーバーとは新しい働き方のことです。（スマホアプリの）ボタンを押すだけで好きなときに仕事を始め、好きなときに仕事を終える。そんな自由をあなたに提供するのです」

ところが、実際はそうした気ままな働き方では十分な生活費を稼ぐことができません。ウーバーは既存のタクシーと競合して勝つために、その運賃をタクシーよりも割安に抑え

写真２　2019年5月、米国各地で起きた、ウーバー・ドライバーによる大規模スト（ロイター／アフロ）

ているからです。これは客側から見たウーバー人気の主な理由ですが、そのドライバーにとっては不満の種となっています。

ウーバーがビジネスを開始した当初、乗客が支払う料金の8割はドライバーの懐に入り、残りの2割をウーバーが受け取る規約になっていましたが、やがて7割3割に変更されました。いずれにせよ、この分配率を見る限り、ウーバー・ドライバー（労働者）にとって、それほど悪くない条件に思えますが、実際は報酬のベースとなる運賃が相当低めに抑えられているだけに、パートタイムで働くだけでは不十分なのです。

結局、ウーバー・ドライバーの多くは、ほぼフルタイムで働く事実上の専業運転手に近い状態にあるようです。ニューヨーク・タイムズ紙はその典型的なケースと見られる一人の労働者を実名で紹介しています。*5

この男性はカリフォルニア州在住のピーター・アシュロック氏（71歳）。若い頃から彫刻家のようなプロのアーティストを目指していましたが、それだけで生計を立てることは難しいので、1970年代からタクシー運転手として生活費を稼いできました。しかし2012年にウーバーの存在を知ると、こちらのほうが（芸術活動にも時間を割きたい）自分の生き方に合っているだろうと考え、アシュロック氏はウーバー・ドライバーに転身しました。

以来、彼が自家用車で乗客を運んだ回数は2万5000回以上、走行距離は全部で約21万8000マイル（35万キロ）に及びますが、これはほぼ地球から月までの距離に当たります。

アシュロック氏の妻も働いていますが、大した収入はありません。一家の生計を立てるために、彼は午後4時から休憩を挟んで翌日の午前3時までクルマを走らせますが、約9時間の営業走行中に25人の乗客を運びます。一日の手取り収入は平均で約200ドル、これにチップや「インセンティブ」と呼ばれるボーナスなど24ドルが加わります。

これは時給に換算して約25ドルと、そう悪くないレートに見えますが、一日当たり約50ドルのガソリン代は全部自分持ちです。また走れば走るほどクルマは消耗しますが、修理代もタイヤ交換も全部、ドライバーが自費で済ませなければなりません。2018年後半、アシュロック氏がそのために支払ったお金は約5000ドル（50万円以上）に達します。

「これがウーバーの成し遂げた最大の発明です。全経費をドライバーに負担させるのです」と彼は自嘲気味に語ります。

２０１８年の確定申告書に記載されたアシュロック氏の総収入は約4万ドル（４００万円以上）。自家用車は相当老朽化していますが、貯蓄はほぼゼロなので新車に買い替える余裕はありません。

ウーバーは２０１９年5月、ニューヨーク証券取引所に上場（ＩＰＯ）して、その経営陣や投資家らは巨万の富を手にしましたが、アシュロック氏のようなウーバー・ドライバーには無縁の世界です。アーティストの彼はウーバー創業者カラニック氏の彫像を作り、その頭部に紙幣を切り刻んで毛髪のように見せたカツラをつけました。

しかし彼の収入は比較的良いほうです。ニューヨークで実施された調査によれば、子どもや妻など家族を養うウーバー・ドライバーの40％以上は、連邦・州政府による公的扶助プログラムへの加入資格があるそうです。[*6]

ウーバーの科学的管理手法

このようにドライバーはかなり厳しい経済状況に置かれていますが、逆にウーバー（企業）側にとっての悩みの種は、ギグ・エコノミーの旗頭として、いかに労働者を上手く管理するかということです。いくら彼らは独立請負業者だからといって、「必要なときに必要な時間だけ働く」という気ままな運転手ばかりでは、安定した旅客運輸事業として成立するはずがありません。

しかしウーバー・ドライバーは同社の社員ではありませんから、上司が命令して無理に働かせることはできません。そこでウーバーは「会社からの命令」という形をとらずに、ドライバーを心理的に操作する手法を開発することにしました。そのために採用したのが、数百人に上る社会科学者やデータサイエンティストたちです。[*7]

彼らはフリーランスとして働くドライバーの心理を研究し、そこに行動経済学などの理論を持ち込むことによって、運転手の労働意欲や生産性を高めようとしました。

ウーバー・ドライバーが日頃、最も嫌がっていることは、仕事時間中に客がなかなか見つからず、長い空き時間ができてしまうことです。そこでウーバーの科学者たちは「フォワード・ディスパッチ」と呼ばれる機能を開発し、運転手用のスマホアプリに追加しました。この機能では、ドライバーが今の仕事を終える直前に次の仕事をスマホ画面上に提示するので、彼らの嫌がる「何もできない空き時間」が少なくなります。これはインターネットTV事業者「ネットフリックス」のやり方を参考にしています。

ネットフリックスでは、視聴者が今見ている連続番組が終わる少し前に、その次回編などを画面の片隅に表示して視聴意欲を煽ります。視聴者は次から次へと番組を見続けることになりますが、ウーバー・ドライバーの場合は次から次へと仕事を引き受けることになるのです。

これはウーバーにとっても望むところです。なぜなら間断なく仕事をドライバーに割り当てることで客を待たせる時間が短くなるので、ウーバーに対する客の評価が上がるからです。

またウーバーの科学者たちはドライバーのモチベーションを高めるために、いわゆる「ゲーミフィケーション（注1）」の手法を借用しました。

運転手用のアプリ画面には、常に彼らの営業成績が表示されます。今週何回、客を拾って何マイル走ったか。乗客が支払った運賃の総額はいくらか。乗客からの評価はどうだったか……等々。ビデオゲーム会社がプレイヤーの成績をリアルタイムで表示するのと同じしくみを、ウーバーはドライバーのやる気を引き出すために使っているのです。

こうしたやり方は行動経済学で「内化された動機づけ」と呼ばれています。つまり企業の利益目標が、無意識のうちにドライバーという労働者自身の目標にすり替えられてしまうのです。

（注1）労働者が楽しめるゲーム的な要素をビジネスに導入し、その生産性を高めること

今のままではビジネスにならない

しかしドライバーのやる気を引き出す上で最も効果があるのは、ウーバーから支給される「インセンティブ（報奨金）」と呼ばれるボーナスです。ウーバーでは1週間に80人以上の乗客を運んだドライバーに40ドルのボーナスが支払われます。

これ以外にも、他のドライバーを会社に紹介したときに支払われる紹介料などさまざまな形でボーナスが支給されますが、（前述のウーバー・ドライバー）アシュロック氏の場合、一日の手取り収入にそれらを加えると、その収入の約25％はこれらインセンティブが占めています。

実は、このインセンティブがウーバーの経営を苦しくしています。2017年には5億1300万ドル（約580億円）だったインセンティブは、2018年には8億3700万ドル（約920億円）に膨れ上がり、2019年には10億ドル（約1100億円）に達したと見られます。

ウーバーは創業時から赤字続きで、2018年の営業損失は30億ドル（約3300億円）を超えましたが、その大半はインセンティブをはじめとする巨額の人件費です。

上場前のウーバーは、「ベンチャー・キャピタル（VC）」と呼ばれる投資企業が調達した巨額資金によって運営されてきました。これが人件費をはじめ本業の赤字をカバーしてきましたが、この点は同業他社のリフトも同じです。

これに対しては「VCが集めてくれたお金を補助金代わりに使って、世界中の人たちを安いタクシーに乗せているに過ぎない」（米ジョージタウン大学・経営大学院のジェイソン・シュロッツァー教授）といった厳しい指摘もあります。[*8]

また今後、米国や諸外国の司法判断あるいは法改正によって、ウーバーやリフトが自社ドライバーを現在のような独立請負業者として採用するのではなく、自社の従業員として雇用する義務が発生する可能性があります。

実際、米カリフォルニア州では2019年9月、ウーバー・ドライバーのようなギグ・ワーカーを今後は従業員として扱うよう企業に義務付ける「議会法案5（AB5）」が可決・法制化されました。同年12月、ウーバーとリフトは彼ら配車サービス業者に対する同法の差し止めを求める訴訟を起こしました。

フランスでも2020年3月、最高裁にあたる「破棄院」が「ウーバー・ドライバーは同社従業員として認められる」との判断を下しました。一方、ブラジルでは正反対の裁定が下されています。

今後、どう転ぶか予断を許しませんが、もしも独立請負業者の運転手を従業員として雇用する義務が発生した場合、アプリ配車サービス業者の人件費は莫大な金額へと膨れ上がり、その経営に深刻な打撃を与えるでしょう。

こうした事態に備え、ウーバーやリフトは以前から自動運転技術の研究開発に没頭してきました。つまり、お金のかかる（人間の）ドライバーの代わりに「一種のＡＩ」に自動車の運転を任せようとしているのです。

それは彼らにとって死活問題です。２０１６年、当時ウーバーのＣＥＯを務めていたカラニック氏は、米ビジネス・インサイダー誌のインタビューで「もしもウーバーが自動運転に取り組まなければ、未来は私たちを素通りしていくでしょう」と語っています。[*9]

実際、ウーバーがＧＭやフォードを上回る株式時価総額を達成した最大の理由は、同社の自動運転技術にあります。

ウーバーは２０１９年４月、トヨタなど日本企業３社から総額10億ドル（約１１００億円）の出資を受けましたが、これは同社の自動運転開発部門への投資です。この際の一株当たりの評価額から、ウーバーは巨大自動車メーカーを凌ぐ時価総額に届くと推定されたのです。ですから仮に自動運転の開発・実用化に失敗すれば、同社に対する金融市場の評価は地に落ちてしまいます。

このように自らの存亡をかけた自動運転技術の開発に、ウーバーはどう取り組んできたのでしょうか？　その経緯と今後の行方を眺めると、自動運転を中心とする未来のモビリティ産業の勢力図が浮かび上がってきます。

強引なヘッドハントで自動運転に着手

ウーバーは２０１５年、自動運転技術を開発する「ＡＴＧ（先進技術グループ）」と呼ばれる研究開発部門（登記上は同社の子会社）を立ち上げました。その施設はペンシルベニア州ピッツバーグに置かれましたが、この都市には米国屈指の理工系の高等教育で知られるカーネギーメロン大学があります。

自動運転車の開発には、ロボット工学やＡＩの先端技術が必要になります。そこでウーバーは、こうした分野の最前線で活躍する約50名の研究者を、カーネギーメロン大学からヘッドハントしてＡＴＧに引き入れてしまいました。

これを可能にしたのは、ウーバーが研究者らに提示した高額報酬です。もちろん、実際に支払われた金額は明らかにされていませんが、当時、米国でＡＩやロボット分野の一流研究者に企業が提示する年収の相場は、おおむね１０００万ドル（10億円以上）と言われました。

このように大金に物を言わせて大学研究者を引き抜くやり方には、学術関係者の間で眉をひそめる向きもありました。優秀な研究者が大学から企業へと流出してしまえば、肝心の教育がおろそかになって後進の研究者を育成するのが難しくなるからです。これは長い目で見れば、国の産業力を低下させることになります。

もっとも当時の大手IT企業なら、どこも多かれ少なかれ同じようなことをやっていました。グーグルは主にスタンフォード大学から、またフェイスブックはニューヨーク大学等から有名教授らをヘッドハントして自社の研究開発に当たらせていました。しかしウーバーのように50人もまとめて大学から引き抜くとなると、さすがに強い批判を浴びても仕方がありません。

それでもウーバーは全く意に介しませんでした。翌2016年には、かつてグーグルで自動運転開発を率いた技術者、アンソニー・レバンドウスキー氏をATGのリーダーとして採用。同氏は過去に伝説的な自動運転車レースに参戦してその名を馳せた、この分野のベテラン研究者です。

世界初・自動運転車レースの顚末

2004年、米DARPA（国防高等研究計画局）が米国南西部のモハーヴェ砂漠で、世界初の自動運転車レース「グランド・チャレンジ」を開催することになりました。当時カリフォルニア大学バークレイ校・生産工学部の学生だったレバンドウスキー氏は、100

万ドル（1億円以上）の賞金がかかった同レースに出場することを決めました。[10]

根っからのエンジニア兼ビジネスマンである彼は、すでに大学1年生のときには自宅の地下室でイントラネット・サービスを立ち上げ、年間5万ドル（500万円以上）も稼ぐほどの力量を備えていました。

同レースに参加するため、レバンドウスキー氏はまず資金集めから始めました。当時はまだ大学2年生でしたが、スポンサーを求めて200社以上の企業に電話をかけまくり、（その大半から断られたものの）軍需メーカーのレイセオンや半導体メーカーのAMDなどから資金を調達し、これに自分のお金も加えて総額13万ドル（1300万円以上）を用意しました。

次に彼は自分より年上の大学院生らを集めて開発チームを結成しました。

自動運転車といえば誰もが四輪車を想像しがちですが、彼らは市販二輪車を改造して作ることにしました。砂漠に設けられ、所々に岩石なども散乱する複雑なコースを走るには、小回りの利く二輪車のほうがレースに有利と考えたからです。

彼らはヤマハ製のダートバイクから部品を全部取り外して骨組みだけを残し、そこにステアリング用の電気モーターやジャイロ、GPS、ビデオカメラ、マイクロ・コンピュータなどを取り付けてハードウエアを作り上げました。そして、これを使ってバランスをとりながら自動運転するためのソフトウエア開発に昼夜没頭しました。

かなり本格的なプロジェクトですが、レバンドウスキー氏はチームメンバーである大学院生らに給料を払いませんでした。代わりにメキシコ料理の「ブリトー」を振る舞って働かせたそうです。

その一方でレバンドウスキー氏は当時、チームメンバーの一人(男子大学院生)が付き合っていた女性に「プロジェクトが終わるまで、(気が散るから)彼と会わないようにしてくれ」と頼み、慰謝料として5000ドル(50万円以上)を提示しました(彼女がお金を受け取ったかどうかまではわかりませんが、多分受け取らなかったのではないでしょうか)。

後年、この大学院生と女性はめでたく結婚しますが、彼女はこのプロジェクトが大嫌いだったそうです(当然でしょう)。

このように一種独特な雰囲気の中で、レバンドウスキー氏が率いる開発チームは何万行にも上る自動運転用のプログラム・コード(ソフトウエア)を書き、それを改造バイクに搭載して試験走行させました。当初、バイクは上手くバランスをとれずに転んでばかりいましたが、プログラムを修正しては走らせるという作業を600回以上も繰り返すうちに、無事に自動運転できるようになりました。

しかし肝心のレースは、彼ら開発チームにとって残念な結果に終わりました。予選は首尾よく通過したのですが、決勝レースでは発車してから1メートルも進まないうちに自動運転バイクは転倒し、そのまま動かなくなってしまいました。

原因はプログラム・コードではなく、レバンドウスキー氏のうっかりミスでした。レース直前、興奮と疲労などから意識が朦朧（もうろう）としていた彼は、自動運転バイクのバランスをとるためのプログラム・スイッチをオンにすることを忘れてしまったのです。

しかしレースに参戦した他チームも大同小異の結果に終わりました。

カーネギーメロン大学やスタンフォード大学、カリフォルニア工科大学など名だたる大学の開発チームが参戦した世界初の自動運転車レースは完走車ゼロ。どの車も全長142マイル（約230キロ）のコース途中で、故障して煙を吐いたりするなどして脱落しました。

参戦した全チームの中で、最長距離を走行したのはカーネギーメロン大学。彼らが大型軍用車を改造して作った自動運転車は、スタート地点から約7・5マイル（12キロ）を走ったところでコースを脱線して息絶えました。

このように世界初の自動運転車レースは散々な結果に終わりましたが、主催者のDARPAは次回レースを翌2005年に開催すると発表。参加各チームは初回の無残な失敗を教訓に、自動運転車のハードとソフト両面を作り直して再挑戦しました。

この2回目のレースには約200チームが参戦しましたが、そのうちの5チームが決勝戦でコースを完走しました。優勝したのはスタンフォード大学の研究チーム。彼らがフォルクスワーゲンの小型車を改造して作った自動運転車「スタンレイ」は6時間53分で完走。それから10分以上遅れて、2位のカーネギーメロン大学の車がゴールのテープを切りました。

スタンフォード大学が優勝した最大の理由は、彼らがニューラルネットを使った機械学習技術に注力したことにあります。最近では「ディープラーニング」と呼ばれることの多くなった同技術によって、クルマのような機械が自力でコースを認識して安全に走れるようになったのです。

一方、レバンドウスキー氏が率いるバークレイ校チームは準決勝で敗退し、決勝レースに出場できませんでした。それでも彼らの功績は関係者の間で知られるところとなり、それから2年後、米スミソニアン博物館の二輪車コレクションに自動運転バイクが加えられました。

このDARPAプロジェクトで一躍名を馳せたレバンドウスキー氏は2007年、スタンレイの開発チームを率いたセバスチャン・スラン氏（スタンフォード大学AI研究所・教授）らとともにグーグルに加わり、当時設立されたばかりの基礎研究所「グーグルX」で働き始めました。その際、スラン氏はスタンフォード大学教授の終身在職権を放棄して、グーグルXの初代所長に就任しました。

グーグルの自動運転プロジェクト

当初、彼らが手掛けたのはグーグル・マップと同ストリートビューの開発でした。本当は最初から自動運転の研究開発をやりたかったのですが、当時の自動運転の技術レベルではグーグルの事業計画に組み込むのは時期尚早と考えられたからです。

確かにDARPAの2回目のレースに参戦した自動運転車は、砂漠に作られたレース用コースを完走しました。また、その後は擬似市街地のコースなども走りましたが、多数の交通信号や車、歩行者、障害物などが複雑に入り乱れて存在する、現実の道路環境を走るのは無謀と見られました。

しかしレバンドウスキー氏は諦めませんでした。

2008年に米ケーブルテレビ局のディスカバリー・チャンネルが「自動運転車でピザを宅配する」というデモンストレーションの企画を打診してきました。これを受けたレバンドウスキー氏はグーグルXの技術者チームを指揮してトヨタ・プリウスを改造し、わずか5週間で自動運転車に仕立て上げました。

デモの当日はカリフォルニア州のハイウェイ・パトロールを動員して、経路に選ばれた公道の周囲を警察車両で固めました。厳重な交通規制を敷く中、自動運転車はサンフランシスコ市内から近隣の島まで、金門橋を渡ってピザを宅配することに成功。このデモの様子はテレビ放送されました。

この成功に心を動かされたグーグル共同創業者らが、自動運転車の開発にゴーサインを出しました。これはデモのような単なる見世物ではなく、将来の実用化（商用化）を目指した本格的な開発プロジェクトです。

ここから始まったグーグルの自動運転開発はやがて他の自動車メーカー等にも波及し、いつしか世界的なブームとなっていきました。

しかしグーグルXの初代所長として、このプロジェクトの責任者を務めたスラン氏は2014年、自ら2011年に設立したオンライン大学「ユダシティ」の経営に専念するためグーグル（のちの持ち株会社アルファベット）を退社しました。

また現場で開発チームを指揮したレバンドウスキー氏も、2016年1月にグーグルを退社。その際、同氏と一緒に退職した数名のエンジニアとともに、「オットー」というベンチャー企業を立ち上げました。これは運送用の大型トラックを自動運転車に改造するビジネスを手がける会社です。

同年12月、グーグルXで培われた自動運転技術を実用化するため、アルファベットは「ウェイモ」という子会社を設立しました。そのCEOに就任したジョン・クラフチック氏は、かつて韓国・現代自動車の米国現地法人・社長兼CEOとして同社の市場シェアを伸ばすことに貢献しました。

グーグルの自動運転プロジェクトは、研究開発からビジネスのフェーズに移行したのです。

ウーバー対グーグル裁判の経緯

オットー設立からわずか7ヵ月後となる2016年8月、ウーバーが同社を約6億8000万ドル（750億円）で買収しました。これによってウーバーは、レバンドウスキー氏を中心とするオットー開発陣とその技術力を手に入れたことになります。

ウーバーはレバンドウスキー氏をATGのリーダーに据えましたが、考えてみれば彼はグーグルを退社して未だ半年余りしか経っていませんから、事実上はグーグルから自分の同僚を引き連れてウーバーに移籍したようなものです。

翌2017年2月、ウェイモ（グーグル）がウーバーをサンフランシスコ連邦地裁に提訴しました。

その訴えによれば、ウーバーはグーグルの自動運転に関する特許技術など知的財産を不当に使用しており、それはレバンドウスキー氏がグーグルを退社する際に盗み出したものだといいます。この訴えをウーバーは事実無根として否定しました。

一方、レバンドウスキー氏は連邦地裁から、証拠文書の提出と法廷における証言を求められましたが、「何人も、刑事事件において、自己に不利な証人となることを強制されない」と定めた合衆国憲法・修正第5条を盾に、これらの要求を拒否しました。

ウーバーはレバンドウスキー氏に対し、裁判所からの要求に応じるよう繰り返し説得しましたが、同氏は頑としてそれに応じません。また関連文書をウーバーに提出することも拒んだため、同社は2017年5月にレバンドウスキー氏を解雇しました。

ちょうど、この頃はウーバー受難の時期と重なっていました。

同社の管理職が部下である女性の胸に触るなどセクハラ行為を繰り返したのに、ウーバーはそれを放置して、男性優位の社内文化を是正しなかったことが米メディアによって報じられました。

またウーバーがグーグルからヘッドハントして技術担当副社長に据えたAI研究者アミット・シンハル氏が、グーグル在籍中に女性従業員の身体を触るなどセクハラ行為をしていたことも報じられました。これを受け同氏はウーバーを退社しました。

さらにウーバー創業者兼CEOのカラニック氏が深夜、2人の女性と一緒にウーバー車で移動する最中、劣悪な労働環境に不満を漏らすドライバーと激しく口論する様子が車載ビデオカメラで撮影され、これが米メディアのブルームバーグにリークされて放送されました。

一連の出来事を通じて、カラニック氏へのプレッシャーは日増しに高まっていきました。折悪しく同氏の両親が船舶事故に遭い、母親が他界し、父親が重傷を負いました。それから間もない２０１７年６月、カラニック氏はウーバーのＣＥＯを辞職し、以降は一切経営に関与しなくなりました（ちなみに２０１９年12月、同氏は自ら所有するウーバー株を全部売却して27億ドルを得ると同時に、同社取締役も辞任してウーバーとの縁を断ち切りました）。

翌２０１８年２月、グーグル対ウーバーの裁判が始まりました。証人として出廷したカラニック氏は訴訟へと至る経緯を証言しました。[*11]

それによれば、もともとグーグルは設立当初のウーバーに出資するなど、両社の関係は極めて強固でした。やがてウーバーの利用者が急増すると、グーグルはウーバーに提携を打診してきました。グーグルの自動運転技術を使って、ウーバーの配車サービスを無人化することを提案してきたのです。

しかし、その後ウーバーがＡＴＧを立ち上げ、そこで独自の自動運転技術を開発し始めると両社の関係は冷え込んでいきました。あるときグーグル共同創業者のラリー・ペイジ氏はカラニック氏との会談で「なんで本来僕がやるべきことを君がやっているの？」と述べ、怒りを露（あらわ）にしたといいます。

グーグルとの良好な関係を犠牲にしてまで自動運転の自主開発に着手したウーバーです

が、やがて技術力ではグーグルの足元にも及ばないことを思い知らされます。カーネギーメロン大学から引き抜いた50人あまりの研究者をフル稼働させても、先を走るグーグルの自動運転技術には追いつけないことが見えてきたのです。

そこで当時、すでにグーグルを退社してオットーを創業していたレバンドウスキー氏に白羽の矢を立て、自動運転の開発リーダーとして招聘(しょうへい)することにしました。しかし同氏からグーグルの企業秘密がウーバーに持ち込まれたことは一切ありません――こうカラニック氏は証言しました。

それからわずか数日後の２０１８年2月9日、原告・被告双方は和解しました。ウーバーは自社株を使って2億４５００万ドル（２５０億円以上）の和解金をウェイモ（グーグル）に支払いました。ウェイモが和解に応じてウーバーを深追いしなかったのは、自らの企業秘密が盗まれた確たる証拠を裁判で提示できなかったためと見られています。

一方、ウーバーを解雇されたレバンドウスキー氏は「未来への道」と称する新興宗教団体を設立した後、２０１８年12月、再びベンチャー企業を立ち上げて自動運転技術の開発を再開しました。しかし翌２０１９年8月、米連邦検察はグーグルから自動運転に関する機密情報を盗んだ容疑で同氏を起訴。２０２０年3月、サンフランシスコの裁判所で、レバンドウスキー氏に対し1億７９００万ドル（１８０億円以上）の賠償金を支払えとの命令が下され、同氏は自らの罪を認めて破産申請しました。

自動運転に対する悲観論の台頭

以上のようなゴタゴタの最中も、ウーバーは自動運転の研究開発を続行しました。しかし同社の自動運転車はサンフランシスコ市街地を試験走行中、交差点の信号を無視して走り去ったり、アリゾナ州テンピの公道で他のクルマと衝突し横転するなど危険な兆候を見せ始めました。

2018年3月、同じくテンピを試験走行中のウーバー自動運転車が、自転車を押しながら道路を横断中の女性をはねて死亡させました。警察の捜査報告書によれば、事故が起きた時、自動運転車の座席に待機していた予備運転手は、スマートフォンから娯楽テレビ番組をストリーミング視聴していた形跡があります。

一方、事故で死亡した女性はそれまで路上等で寝泊まりするホームレス生活を続けていました。ウーバーは彼女の遺族に謝罪・賠償して和解しましたが、賠償金額など詳細は明らかにしていません。またアリゾナ州の検察は、証拠不十分を理由に「ウーバーに刑事責任はない」と判定しました。[*12]

この死亡事故を受け、ウーバーは自動運転車の公道実験を一旦中断しましたが、201

8年12月に「9ヵ月にわたる自粛期間において、我々はできる限りの安全性向上を尽くした」とのコメントを発表し、同社ATGが本拠を構えるピッツバーグで自動運転車の試験走行を再開しました。

しかしウーバーは自らの技術力に絶対の自信を持っているわけではありません。同社は上場申請書の中で「自動運転技術の開発および商用化は失敗に終わる可能性もある。競合他社がこの技術を先に完成させるかもしれない」と警告しています。[*13]

ウーバーは2019年5月、ニューヨーク証券取引所に上場しました。その売出価格45ドルから算出された同社の時価総額は実に820億ドル（約9兆円）に達しましたが、これはその前年に米投資銀行が算出した1200億ドル（約13兆円）という見積もりを大幅に下回る金額です。

上場後もウーバーの株価は低迷を続けましたが、2019年12月に底を打った後で上昇に転じ、その後は新型コロナウイルスの経済的影響で急落。本書執筆中の2020年3月時点で、売出価格から50％以上下落した20ドル前後で売買されています。

わずか1年でウーバーに対する市場の評価が急降下した理由の一つは、同社の存亡をかけた自動運転技術に関する見通しが（アリゾナ州での死亡事故などを受けて）険しくなってきたことがあります。

その影響は他社へも波及し、それまで自動運転の実用化に楽観的な見方を示してきた自動車メーカーの関係者らが慎重な姿勢に転じました。

フォードの最高経営責任者（CEO）、ジム・ハケット氏は2019年4月、デトロイト経済界の会合で「自動運転車の実現を買いかぶりすぎていた」と語りました。同社は2021年までに無人運転車を開発する目標を変えていませんが、「その展開はジオフェンス（仮想境界線）の内側の非常に限られたものになる」と認めたのです。[*14]

この発言は、自由にどこへでも行ける普通乗用車ではなく、特定の経路を定期往復するシャトル・バスなどに自動運転技術を導入して（ドライバーなど乗務員を）無人化することを示唆しています。

また（トヨタ自動車の傘下で、自動運転などAI関連技術を研究開発する）米トヨタ・リサーチ・インスティテュートのCEO、ギル・プラット博士も、人間のドライバーに引けを取らない完全自動運転（無人運転）の実用化は今から何十年も先になると見ています。[*15]

AI・ロボット研究のベテランであるプラット博士は、かつて2013〜15年にかけて米DARPAが主催したヒューマノイド（ヒト型ロボット）競技会の発起人・責任者として知られます。

この競技会では、原発の事故現場を想定した屋外会場で、ロボットが「建物の壁にドリルで穴を開ける」など復旧作業を想定した実践的な競技に臨みました。しかし極度に動きが鈍かったり転倒したりするロボットが続出するなど、期待外れの結果に終わりました。つまり当時のロボット技術は、事前にプラット博士が予想したほどの高いレベルには達していなかったのです。

これに対する反省からか、プラット博士は（同じくロボット技術の一種である）自動運転車に関して極めて慎重ないしは悲観的な見方に傾いているようです。

「私たちは『（ＡＩを搭載したロボットや自動車のような）機械が人間にすぐにでも置き換わる』と考えるべきではありません。ある場合にはＡＩが人間に勝り、ある場合には人間がＡＩに勝るのです」とプラット博士は言います。

人間がＡＩに勝るケースとして、博士は交差点における歩行者の行動予測を挙げます。

子供の手を引いた母親、スマホを手に談笑する10代の若者たち、杖をついて歩く高齢者――さまざまな人々が交差点を渡りますが、ドライバー（人間）はこれら歩行者の違いを瞬時に識別して適宜対応することができます。たとえば「10代の若者は横断歩道のないところを横切る危険性が最も高い」と考え、それに備えた運転をするのです。

「ＡＩには普通、それができません。それをできるようにするには、（人間がＡＩに）何億回もの事例を入力してあげねばなりません。なぜならＡＩは（人間のように）考えないから

です。それは単にパターン認識をするだけです」(プラット博士)

当面の間、自動車に搭載されるＡＩは人間のドライバーに代わる技術ではなく、むしろその運転を支援するものになると博士は見ています。

これまで世界の主要メーカーは自動車の衝突回避システムや高速道での追尾機能、あるいは車線変更システムなどを開発してきました。最近では、車内に装備されたビデオカメラでドライバーの表情や目の動きを観察し、居眠り運転など危険な兆候が見られた場合には警告音を発する等、先進の運転支援機能も実現しつつあります。

これらドライバーをサポートするさまざまなＡＩ技術の積み重ねが、いずれは自動運転機能に結実すると自動車業界の関係者は見ています。つまり彼らは「完全自動運転(無人運転)への移行は一気に達成されるものではなく、いくつもの段階を踏んで少しずつ実現されていく」と考えているのです。

しかし、それは彼らの希望的観測を反映した考え方かもしれません。

毎年、数兆円もの営業利益を叩き出しているトヨタや独フォルクスワーゲンをはじめ自動車業界にとって、最も望ましいのは「現状維持」のはずです。彼らが自動運転のような業界のパラダイム転換をもたらす革命的技術に対し、保守的な見通しを述べるのは当然と言えば当然でしょう。

自動車業界とIT業界の違い

これとは対照的なのが、米シリコンバレーに代表されるIT業界です。

2019年4月、テスラのイーロン・マスクCEOは「どんな道でも安全に走行できる完全無人運転のロボ・タクシー100万台を来年末までに提供する」と宣言しました。

マスク氏は2016年にも「来年末までに完全自動運転で全米を横断する」と宣言しながら、その約束を反故にした過去がありますので、今回の新たな宣言も真に受ける人はほとんどいません。テスラは既存の自動車産業に挑戦する立場ですから、自動運転に対する見通しが過度に楽観的ないしは挑発的なのも頷けます。

真実は恐らく、両者の中間にあると見ていいのではないでしょうか。

完全無人運転は（マスク氏が宣言したように）「今から1年や2年で実現される」ことはほぼないでしょう。ですが、逆に（プラット博士ら自動車業界の関係者が予想するように）「何十年も先の話」と考えるのは、あまりにも悠長な見通しです。

すでにウェイモ（グーグル）は2018年12月、アリゾナ州フェニックスで自動運転による配車サービス「ウェイモ・ワン」を開始したほか、2019年5月には同州で（アプリ配車サービス業界の第2位）リフトに自動運転車を提供し始めました。さらに同年7月にはカリフォルニア州でも、自動運転による配車サービスで乗客を輸送する免許を取得しました。

　これらのサービスはいずれも自動運転とはいえ、車内の運転席に予備ドライバーが待機するなど完全無人運転ではありません。

　しかし２０１９年11月になると、ウェイモはアリゾナ州チャンドラーで、予備ドライバーのいない完全自動運転（無人運転）の配車サービスを一部の先行ユーザーなどに限定して開始しました。ただし、どこでも自由に走れるわけではなく、ジオフェンス（仮想境界線）の内側にある所定のエリアに限ります。

　有料の配車サービス（予備ドライバー付き）として提供されているウェイモ・ワンに対しては、これまで利用者全体の40％から（自動運転車が）「曲がる道を間違えた」「他のクルマと衝突しそうになった」等の苦情が寄せられ、利用者の一人は「このバグだらけのサービスは、まだ客に料金を請求すべきではない」という手厳しい批判を浴びせています。[*16]

　ここから判断する限り、同社の自動運転技術は完璧には程遠いようです。が、逆に60％の利用者はこれといった支障もなく利用しているわけですから、すでに相当のレベルに達していると見ることもできます。

　グーグルは早くも２０１１年頃から「２０２０年を目標に無人運転車を実用化する」と宣言しています。つまり、おおむね当初の計画に沿って、プロジェクトが進行しているのです。

ウェイモとの知財裁判におけるウーバーのカラニック元CEOによる証言から見て取れるように、グーグル（ウェイモ）の自動運転に関する技術力は、名門カーネギーメロン大学のAI・ロボット研究者たちが束になって挑んでも敵わないほどのレベルに達しています。

それは自動運転車のテスト走行距離にも如実に表れています。

カリフォルニア州政府が開示した同州公道における自動運転車の走行テスト総距離では、ウェイモが地球50周分に相当する約202万キロと断然トップ。[*17] 第2位の米ゼネラル・モーターズ（GM）は72万キロ、第21位の独ダイムラーは2815キロ、第23位のトヨタ自動車に至ってはわずか613キロです（いずれも2017年12月から2018年11月まで1年間のデータ）。

また全米各地におけるウェイモのテスト走行距離は、2009年から2019年までに3200万キロを超え、2位のGMはその約6割にしか達しません。2020年3月には米投資会社やアブダビの政府系ファンドなどから、22億5000万ドル（2300億円以上）もの巨額資金を調達しました。ここに見られる注力度の違いを考えれば、「完全自動運転は何十年もかけて徐々に実現される」という自動車業界の見通しには甘さが感じられます。

ウェイモが描く将来ビジョンの中でトヨタや日産、ダイムラーなど自動車メーカーが果たす役割は、自動運転用の基本ソフト（ＯＳ）をグーグルから供給されて車体を製造する下請け業者に過ぎません。かつてグーグルの開発したスマホＯＳ「アンドロイド」が携帯電話業界を席巻した際、日本の端末メーカー各社がたどったのと同じ道筋を、今後は自動車メーカーがたどると見ているようです。

こうしたメーカーの地位低下は、先進各国のＧＤＰや雇用市場に深刻な影響を及ぼすでしょう。特に日本の自動車産業は関連分野も含めれば約５４０万人もの雇用を生み出し、商品輸出額の約２割を占める基幹産業です。[*18] 主要メーカー各社は今から何らかの対策を講じておくべきではないでしょうか。

ちなみに米国では今、アマゾンのようなＩＴ企業に加え、通信企業のＡＴ＆Ｔや小売業のウォルマート、あるいは金融業のＪＰモルガン・チェース銀行などの産業各界を代表する企業が、ＡＩ時代に向けた社員の再教育プログラムに着手しています。これについては第５章で詳しく見ていくことにしましょう。

第3章

AIロボットの夢と現実

——我々（人間の労働者）と競う実力はあるのか？

単なる木偶の坊？

米ボストン・ダイナミクス社が開発したヒト型ロボット「アトラス」は、まるで人間のように走ったりジャンプできるばかりか、後方宙返りやパルクール（注1）など離れ業も見事にやってのけます。

他にも同社は「ビッグ・ドッグ」と呼ばれる巨大な犬や、地上を疾走するチーターなどさまざまな動物型ロボットを世に送り出しました。これらの動く様子を撮影したビデオはユーチューブ上で膨大な再生回数を記録しています。

ただ「そうした奇妙なロボットが一体何の役に立つのか？」と考えると、にわかにその存在意義が怪しくなります。冒頭のアトラスは派手な後方宙返りはできても、ペットボトルの蓋を閉めるなど子供でもできる単純作業ができません。

これでは工場の生産ラインに労働者（人間）と並んで製品を組み立てたり、配送センターで商品を梱包するなどの仕事はとても無理でしょう。つまりアトラスをはじめ一群のロボットは私たちの注目を引くことはできても、いざ実用性などビジネスの観点から見ると、とんと役立たずの木偶（でく）の坊になってしまうのです。

そのせいでしょうか、開発元のボストン・ダイナミクスは過去に2度売却されています。

もともと同社は米ＭＩＴ（マサチューセッツ工科大学）のＡＩ・ロボット研究者、マーク・レイバート教授が１９９２年に象牙の塔を飛び出して設立したロボットメーカーです。同社はソニーがかつて犬型ロボット「アイボ」を開発する際、それに対する技術コンサルティングを提供したことがあります。[*1] その後は、主に米ＤＡＲＰＡ（国防高等研究計画局）から軍事予算を得て先端ロボットを開発してきました。冒頭のアトラスも軍需ビジネスの一環として作られたのです。

やがて、その傑出したロボット技術がグーグルの目にとまり、２０１３年12月にボストン・ダイナミクスはグーグルに買収されました。しかし、同社の技術が実用化には程遠いことが判明するとグーグルはすぐに売却を検討。その噂を聞きつけた日本のソフトバンクが２０１７年６月に同社を買収すると発表しました。

これらの売買金額は公表されていませんが、実用性が定かではないロボット技術を伸び伸びと研究できるだけの十分な資金を、２度にわたる売却によって同社は獲得したと見られています。

ただ創業者のレイバート博士（現会長）はその点を貶（けな）されるのが心外らしく、米ニューヨーク・タイムズ紙の記事の中で「我々の技術は実用化が可能なレベルまで到達している」と語っています。[*2] もっとも、その言葉を継いで「しかし、それが主に何のために使わ

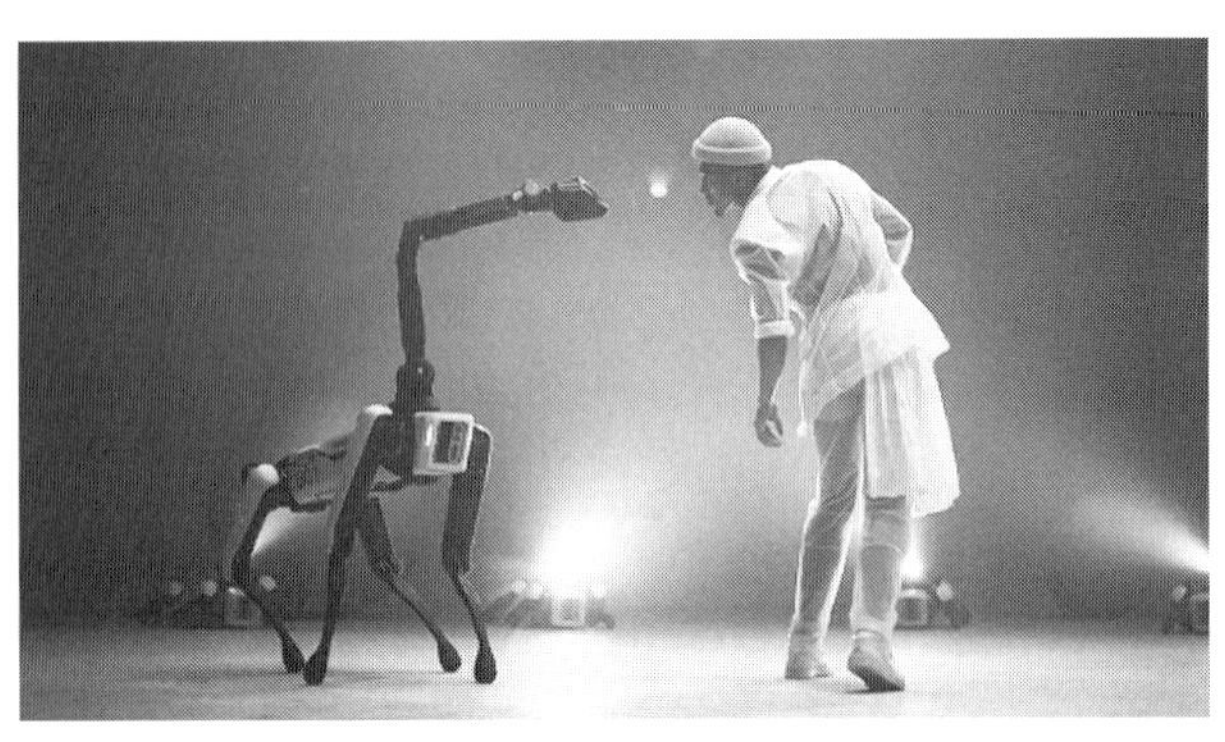

写真１　人と交わる犬型ロボット「スポット」
出典：https://www.bostondynamics.com/spot

れるのか、我々にもわからない」と打ち明けます（正直な人です）。

ソフトバンクに買収された後、ボストン・ダイナミクスは犬型ロボット「スポット」（前述の「ビッグ・ドッグ」とは別物）のデモ動画をユーチューブ上でしばしば公開しています。

スポットは半自動ロボットですが、基本的には人間のオペレーターが小型の専用コントローラーを使って遠隔操作します。

ユーザーがコントローラーのモニター画面を見ながら、ジョイスティックを前後左右に動かすと、スポットもその方向へと移動します。しかも、このロボットには自らのボディを制御するためのＡＩが搭載されているため、山道や砂場、工事現場など足場が不安定な場所でも、自力でバランスをとりながら移動することができます。

ユーチューブに公開された動画には、建設現場で階段を上り下りしたり、背中に荷物を担いで移動したり、カメラ付きのアーム（腕）を伸ばして部屋のドアを開けたりするなど、かいがいしく働くスポットの様子が収められています。

ちなみに、この犬型ロボットのアームは胴体の首に該当する部分についていますが、あくまでもアームであって、それが犬の頭部に見えるのは偶然に過ぎません。アームは通常、ロボットのボディ内部に畳み込まれていて外からは見えませんが、必要なときだけボディの外部に伸び出すような仕掛けになっています。

ボストン・ダイナミクスは他にも「大勢のスポットが隊列を組んで大型トラックを牽引する」様子を撮影した動画をユーチューブに公開するなど売り込みに懸命です。

同社のレイバート会長は「すでに日本の建設会社などから複数のオファーを得ており、災害地域や原子力発電所など危険地帯で高い需要があると想定している」と語っています。[*3]

２０１９年９月、同社はスポットのリース販売を始めました。標準価格は明らかにされていませんが推定数万ドル（数百万円）といわれ、貸し出し期間と台数によって値段は変わってきます。

すでに米マサチューセッツ州の警察がスポットを試験的に導入し、何らかの目的に使用中といわれます。また鹿島建設も２０１９年12月、土木工事現場で活用することを目指してスポットを導入しました。ただ残念ながら、スポットは作業現場などに投入すればすぐに使えるというものではなく、あらかじめ、このロボットに現場を隈(くま)なく移動させて空間の3Dマップを作成させるなどの導入への準備が必要になります。

これまで工場などで使われてきた産業用ロボットは、事前にミリ単位で計算された動きしかできませんでした。これに対しスポットのようにAIを搭載した次世代ロボットの強みは、「変化する状況にも自力で対応できる点にある」とボストン・ダイナミクスは強調します。

その一方で同社の開発したヒト型ロボットは、未だペットボトルの蓋を閉めることすらできないのは前述の通りです。また、これらのロボットは、人間との正確な意思疎通ができないので、私たちのごく近くで働かせることには未だ危険が伴います。

このように次世代ロボットに何ができて何ができないかを知ることで、私たち人間が今後ロボットとどう共存していくかを考えるのが本章の目的です。

（注1）フランスの軍事訓練から生まれたアクロバティックで過激な身体運動

グーグルのスーパー・ロボット開発はなぜ失敗したのか

まずは、グーグル（厳密には、その持ち株会社アルファベット）の取り組みから見ていくことにしましょう。

同社は2013年頃から（前述の）ボストン・ダイナミクスや、東京大学の研究者らが創業した「シャフト（Schaft）」など国内外のロボットメーカー6社を次々と買収。いずれもヒューマノイド（ヒト型ロボット）をはじめ先端ロボット技術を開発する気鋭のベンチャー企業でした。

このため、ちまたでは「あのグーグルがいよいよSF映画『ターミネーター』のようなスーパー・ロボットの開発に乗り出すのではないか」という熱い期待が生まれました。

実際、グーグルのロボット開発プロジェクトを指揮した技術担当副社長アンディ・ルービン氏（モバイルOS「アンドロイド」の開発者として有名）は、これらのヒト型ロボットを「レプリカント」（注2）と呼ぶなど大きな期待を抱かせるに十分でした。

特にビジネス面から見た場合、そうしたヒューマノイドは、いずれ工場の生産ラインや倉庫などで労働者（人間）と一緒に、あるいは彼らに代わって仕事をするようになると見られました。

が、このように華々しくスタートしたグーグルのロボット開発計画は、いっこうに目に見える成果を上げられませんでした。その一因はプロジェクトリーダー、ルービン氏の素行にあるようです。

このロボット開発計画がスタートして1年足らずの2014年10月、同氏は突如グーグルを退社してしまいました。世間では、のちにグーグルの最高経営責任者に就任するサンダー・ピチャイ氏との出世争いに敗れたルービン氏が、会社に対する抗議の意思を示すために退社したのではないかと見られていました（筆者もそんな見方をしていた一人です）。しかし真相は全く違っていました。米ニューヨーク・タイムズ紙などの報道によれば、ルービン氏は自ら引き起こしたセクハラ問題で詰め腹を切らされ、辞職に追い込まれていたのです。いくら優秀なエンジニアでも、職場でこんな体たらくでは、SF映画に登場するようなスーパーロボットを実現するのは到底無理でしょう。

もちろん開発プロジェクトが失敗した原因はそれだけではありません。より本質的な理由は、技術的に見て時期尚早だったということです。

冒頭で紹介したボストン・ダイナミクスのアトラスからもおわかりのように、現在のヒューマノイドは派手な離れ業で私たちをあっと言わせることはできても、工場の組み立てラインなど仕事現場に導入されて地味な手作業をこなせるレベルには達していません。グーグル在籍中のルービン氏はそこを見誤って、つまり過大評価して、機が熟さないうちに、これら先端ロボット技術に手を出してしまったようです。

（前述のように）グーグルが２０１３年、ボストン・ダイナミクスとほぼ同時期に買収した企業にシャフトがあります。ここも二足歩行のヒューマノイドを開発する企業です。

この２つの会社は２０１７年、ソフトバンクがまとめてグーグルから買収することで合意しましたが、一説によればシャフト職員の多くがソフトバンクで働くことを拒否したため、（ボストン・ダイナミクスのみの買収が成立し）シャフトはそのままグーグルに残留することになったそうです。

グーグルはその後も多くの選択肢を検討しましたが、代わりの買い手も現れなかったため、２０１８年11月にシャフト事業を解体し、二足歩行ロボットの開発中止を決めました。*4 ここからも、ヒューマノイドのような先端ロボットを実用化（製品化）する難しさが見てとれます。ちなみに、シャフトの関係者はその後グーグルを離れ、今は新たなベンチャー企業などでヒト型ロボットの開発を進めています。

（注２）１９８２年に公開された伝説的なＳＦ映画『ブレードランナー』に登場する人造人間

地味で現実的なロボット開発へ移行

グーグルはその後ロボット事業の再編に着手し、２０１９年３月に改めてロボティクス事業部を設立しました。

そこではヒューマノイドのように人目を惹く、夢のようなロボット計画は影を潜め、もっと地味で現実的なロボット技術の開発に的が絞られました。

たとえば大きな容器の中に置かれたバナナやピンポン玉、ペットボトルやアイスクリーム（いずれも実物ではなくプラスチック模型）など、さまざまな物品の中から、バナナだけを識別し、それをつまみ上げて別の容器に移すロボット・ハンド技術。あるいは多数の障害物が置かれた室内で、それらを回避して安全に移動するロボットなど。

これらの技術は物流倉庫内でさまざまな商品を選（よ）り分けたり、それらを別の場所まで運ぶ作業用ロボットなどに応用することができます。つまり極めて実践的なロボット技術なのです。

そこには（第１章で紹介した）先端ＡＩ「ディープラーニング」が搭載されています。画像認識を得意とするディープラーニングは、それらロボットに最も適した人工知能なのです。

ちなみに（前述の）ボストン・ダイナミクスが開発したアトラスやスポットなどにも外界認識や動作制御用のＡＩが搭載されていますが、基本的には少し離れた場所にいる人間がリモコン装置でロボットを無線操作しています。

ボストン・ダイナミクス社を訪れ、そこでアトラスのデモを間近に見学したニューヨーク・タイムズ紙の記者によれば、このヒト型ロボットは人間が操作している最中によく転ぶそうです。

ユーチューブにアップされた動画を見る限り、アトラスは後方宙返りやパルクールなど離れ業をそつなくこなしているように見えますが、それは見事に成功したデモだけを選び出して紹介しているからであって、本当は人目につかないところで、しょっちゅう転んでいるというわけです。

その点では（前述の）グーグルが開発中の作業用ロボットのほうが勝っているかもしれません。容器内からバナナやピンポン玉など、特定の物品だけを識別してつまみ上げるロボット・ハンドの場合、その成功率は80〜85％に達します。

これらのロボット（に搭載されたディープラーニング）はいわゆる機械学習、つまりロボットのような機械が自身の経験から学ぶ技術により、練習すればするほど、腕前が上達します。このため最初は間違うことが多くても、最終的には異なる物品をかなりの精度で識別できるようになるのです。

こうした最先端のＡＩを搭載している点で、これら地味で実践的な作業用ロボットは、一見派手でSF的なヒューマノイドよりも、ある意味では高度なロボットと見ることができます。

ただし、これらのロボット技術は未だ基礎研究の段階にあり、実用化されるとしても、今から数年後と見られています。その暁には、「これら器用なAIロボットが人間（労働者）の仕事を奪ってしまう」との懸念も当然聞かれます。

これに対しグーグルは「AIロボットは人間の仕事を奪うのではなく、ヒトがやるにはつら過ぎる一部の過酷な作業だけを肩代わりして助けてくれる」と反論します。

一体どちらの言い分が正しいのでしょうか？　すでに倉庫内での各種作業に高度ロボットを導入している、米アマゾンのケースを参考にそれを考えてみましょう。

ロボット導入でアマゾン労働者は解雇されたか

アマゾンが自社の配送センター（物流倉庫）内に、風変わりな搬送用ロボットを導入したのは2014年のことです。一見、オレンジ色のテントウムシのような姿をした同ロボットはもともと、同社が買収した米キヴァ・システムズ社が開発したものでした。

このロボットは、自身の背中に数段にわたるラック（棚）を背負って移動します。客からインターネット経由で注文を受けると、「ピッカー」と呼ばれる労働者が注文された商品を（もともとそれが置かれていた）商品棚から取り出し、このラックの上に置きます。

するとロボットは（ラックごと）この商品を梱包用スペースまで搬送します。そこでは別の従業員がロボットの背中にあるラックから商品を取り上げ、これを適当なサイズの箱に梱包してベルトコンベヤーに流します。

このロボットが配送センターに導入された当初、それが倉庫内の単純労働者の職を奪うのではないか、と心配する声も聞かれました。アマゾンはそれから3年あまりの間に、このロボットを10万台以上も（世界各地の）配送センターに導入しました。

しかし実際には、ロボット導入により解雇された同社従業員は皆無でした。それどころか、この期間にアマゾンは米国内の倉庫作業員を新たに8万人も雇用し、総勢12万5000人にまで拡大しました。彼らを含め、全世界における同社の雇用者数はマイクロソフトの3倍、フェイスブックの18倍になるまで膨れ上がったのです。[*5]

雇用が急増した主な理由は、同じ時期にアマゾンの業容が大幅に拡大して、いくらロボットを導入しても労働力が全然足りなかったこと、また、このロボットに任された仕事が、倉庫作業全般のうち「商品の搬送」だけに限られていたことなどが考えられます。

もっともアマゾンは、他にも配送センター内のコンテナを何段も積み上げるロボットなども導入しています。それによって確かに一部の倉庫作業は人手を離れますが、これらの単調作業を担当してきた労働者は、新たにロボットを操作するオペレーターの仕事を任せられます。むしろ、こうした高度作業のほうが人間にとっては、やりがいのある仕事のようです。

このためアマゾンの倉庫従業員らは、これらのロボットを脅威と見るより、むしろ自分たちの重労働を助けてくれるありがたいヘルパーと見ています。実際、（前述の）テントウムシ型ロボットは最大1500キロもの荷物を運んでくれますから、それまで人手でそれをやっていた倉庫従業員にしてみれば随分と負担が軽減されたことでしょう。

蜜月はいつまで続くか

しかし、こうしたロボットと労働者（人間）の蜜月がこの先、いつまでも続くという保証はありません。

2019年5月、アマゾンは自社の配送センターに新種のロボットを導入しました。このロボットは、それまで人間の労働者がやっていた商品の梱包作業を担当します。

イタリアCMC社製の同ロボットは、ベルトコンベヤーで運ばれてくる商品を3Dセンサーで認識し、そのサイズに合わせた箱で商品を梱包してからラベルを貼ります。これによって1時間当たり、600〜700件の注文に対応した梱包が可能になると見られています。

商品の梱包は、「ピッキング（注3）」「商品の搬送」と並んで倉庫内の主要作業の一つです。これまでの搬送作業に加えて、梱包作業までロボットで自動化されれば、配送センターで働く従業員たちも心安らかではないでしょう。

アマゾンはこれまで雇用創出などを条件に州政府から補助金や減税措置を受けたり、地域社会における自社の評判を高めたりしてきました。その裏返しとして、逆に倉庫作業をロボットで次々と自動化する取り組みには厳しい批判を浴びる可能性があります。

これを恐れたのか、当初アマゾンは梱包ロボットの倉庫への導入を秘かに進め、社外には公表しませんでした。とりあえず試験的に使ってみてから、本格的な導入を検討する計画です。

この件を取材した英ロイターの記者は次のように語っています。*6

「減税などの面で会社（アマゾン）に不利になるような大規模な人員削減ではなく、むしろ自然減を通じて従業員の少ない体制にしていく。梱包担当者が退職したら、（その作業をロボットに任せて）その分の補充をしない。相次ぐ注文に対応し、ひたすら梱包する作業を10時間続ける仕事はきつく、離職率は高い」

関係者によれば、アマゾンは数十ヵ所の配送センターに各々2台ずつ、この梱包用ロボットを設置することを検討中。各倉庫で24人分の労働力がロボットに置き換わり、米国内だけで１３００人以上の雇用削減につながるといいます。

ただし専門家の間では、倉庫業務の全てがロボットに置き換わる未来は、まだ遠いと見られています。最大の課題は（前述の）ピッキング、つまり商品棚に置かれた物品を取り出すロボット・ハンド技術の開発です。

倉庫の棚には重くて頑丈なものから、軽くてもろいものに至るまで、あらゆる種類の商品が置かれています。それらの違いに応じて適切な力で商品を掴んで、壊さずに取り出すには高度なロボット・ハンド技術が必要となります。

アマゾンはこれまで、自ら主宰する「ロボティクス・チャレンジ」と呼ばれるロボット競技会などを通じて、こうした繊細なピッキング技術の開発に取り組んできました。

また（前述の）グーグル・ロボティクス事業部が現在研究しているのも、まさにこのピッキング、つまりロボット・ハンド技術ですが、それが実用化のレベルに達するまでには、まだ相当の時間がかかると見られています。

アマゾンのジェフ・ベゾスＣＥＯは２０１９年6月、ラスベガスで開かれたイベントで「人間のように物を掴むことができる商用ロボットは10年以内に登場する」との見通しを語りました。少なくとも、それまでは倉庫の棚の間を駆け回り、商品を取り出したり在庫を管理する人間の仕事は残されるというわけです。

しかし一方で（第1章で紹介した）ゴミ処理場で働くリサイクル用ロボット「クラーク」も、ディープラーニングで牛乳パックなどを識別してベルトコンベヤーから拾い上げる点では、「物を摑む」ピッキング技術の一種と見ることができます。

となると、「すでに実用化されてるじゃないか」と思われるかもしれませんが、（中身の牛乳が飲み干された後の）牛乳パックは所詮ゴミですから、クラークが力の入れ具合を多少間違えて、ぎゅっと押し潰してしまっても全然問題ありません。

このためアマゾンの配送センターで大切な商品を扱うロボット・ハンドのような、高度で繊細なピッキング技術は必要とされません。だから現在の技術レベルでも実用化できたわけです。

ここから言えることは、現時点でどんなレベルにあるＡＩ・ロボット技術でも、アプリケーションつまり用途次第では十分に実用化が可能だということです。重要なのは、今ある技術を何に応用したらいいのか、あるいは何に応用できるのかを正しく見極めることです。

（注3）ここでは「棚に置かれた商品の取り出し」を意味し、「ドアの錠前を、鍵を使わずに、特殊な器具などを使って開錠すること」を意味する用語とは全く違う行為

実店舗ビジネスに注力するアマゾン

アマゾンは小売店舗の自動化でも業界をリードしています。

もともと「Ｅコマース」つまりインターネットショッピングからスタートしたアマゾンですが、近年はいわゆる「ブリック＆モルタル」つまり実店舗での小売事業にも力を入れています。

２０１５年11月、本社のある米シアトル市に「アマゾン・ブックス」と呼ばれる書店チェーンをオープンしたのを端緒に、２０１７年8月には米国の大手スーパー「ホールフーズ」を１３７億ドル（1兆4０００億円以上）で買収。翌２０１８年末には、ニューヨークのＳＯＨＯ地区に「アマゾン・フォースター」と呼ばれるギフト・ショップまで開業しました。

アマゾンが実店舗ビジネスに注力し始めた主な理由は、ウォルマートなど米国の大手小売チェーンが近年、Ｅコマースと実店舗との連携に力を入れ始めたからです。これへの対抗策に打って出ようというわけです。

しかし他方で、アマゾン自身がここに来て実店舗ビジネスの重要性を改めて見直したという側面もあります。

顧客から見てインターネットショッピングには「自宅から欲しいものをすぐに注文でき

る」「さまざまな商品を瞬時に一覧・比較できる」などのメリットがありますが、その一方で「（衣服など）商品を実際に触ったり、（食べ物なら）試食したり、その匂いを確かめてから買いたい」という場合には、実店舗のほうが便利です。

これらを勘案すると、アマゾンのような小売業者にとって最善の選択肢はネットショッピングと実店舗ビジネスの融合であることは自明。この最終目標に向かって同社は動き出したというわけです。

ただし以前からブリック&モルタル業界の非効率性を指摘してきたアマゾンだけに、自らそこに参入する際には、既存モデルに従うつもりは毛頭ありません。高度ＩＴを駆使した「ストア・オートメーション（店舗の自動化）」によって、小売ビジネスの無駄を大幅に削減しようとしています。

ロボット店舗「アマゾン・ゴー」

その取り組みが「アマゾン・ゴー」と呼ばれる次世代コンビニチェーンです。

多数の監視カメラと先端ＡＩを組み合わせることで、顧客のレジにおける支払いを無用にした「アマゾン・ゴー」は、日本でも各種メディアが盛んに報じるなど大きな話題となりました。

写真2　アマゾン・ゴーの店内　(Newscom／アフロ)

当初メディアでは「無人コンビニ」などと紹介されるケースもありましたが、実際のアマゾン・ゴーでは軽食を調理するシェフや陳列棚の補充作業を行う従業員など、多数のスタッフが店内で働いています。つまり無人ではなく、単にレジをなくしたという意味で「レジレス・コンビニ」という表現のほうが妥当です。

アマゾン・ゴーの1号店は2016年12月、シアトル市内のアマゾン社屋1階にオープンしましたが、これは当初、同社の従業員だけが買い物できる特殊店舗でした。ここで技術的な不具合をチェックするなど、店舗の使用実験が主な目的だったのです。

これを経て2018年1月、アマゾン・ゴーの1号店が、満を持して一般消費者向けにオープンしました。ここからシカゴやサンフランシスコなど主要都市に次々と店舗網を広げ、2019年5月にはニューヨーク市内の一角に同12号店を開業。その後も出店を続け、2019年末時点で、これら4都市に約20店舗があると見られます。

買い物客は、あらかじめアマゾンのアカウントを持っていること、そしてアマゾン・ゴーのスマホアプリをダウンロードしておくことが必要となります。そのアプリでQRコードをスマホ画面に表示し、それを店舗の入出ゲートにかざすことで店内に入ることができます。

店舗の天井には（おおむね数百個にも上る）多数の監視カメラが設置されています。顧客がQRコードをかざして入店した瞬間から、その人の行動は逐一、天井のカメラで追跡されます。

意外にも、これに対する違和感や抵抗感は顧客から聞かれません。

恐らく、その理由はアマゾン・ゴーが（顧客用の）顔認識システムを採用していないためでしょう。仮に顔認識が使われれば、顧客はあたかも自分が犯罪者のように常時監視されている気分になってしまいます。

しかし実際には、顔認識の代わりにQRコードを介してアマゾンのアカウントに紐づけられるため、顧客はあくまで店内で買い物しているときだけ、その行動が追跡されることになります。ですから、それほど抵抗感がないのでしょう。

店内に入った顧客は陳列棚に置かれた各種商品を無造作に（自分で持ち込んだ）ショッピング・バッグに入れていきますが、その動きは天井にある多数のカメラで撮影されていきます。このビデオ映像をディープラーニングが解析することで、どの商品が棚から取り出されたかを判定します。

これに加え、陳列棚には各種商品の数量や有無を感知する重量センサーや、顧客が商品を手にしたときの、カサッという摩擦音を認識するマイクなどが設置されているので、これらの情報を組み合わせることで、顧客が棚から持ち出した商品を正確に判定できるとされます。

実際にアマゾン・ゴーの店内で買い物してみた顧客によれば、ほぼ同じ外観と重量のキャンベル・チキン・スープ缶とキャンベル・チキン・ヌードルスープ缶も正確に識別したといいます。

また日本のＩＴジャーナリストがシアトルにあるアマゾン・ゴーの1号店に入り、そのシステムを混乱させるため、あえて「素早く何度も商品を取り出したり戻したりする」「しばらく店内を徘徊してから商品を戻す」「商品を取り出すときにわざと布で表面を隠してカメラでの識別を難しくする」など、さまざまな手口を試してみても、アマゾン・ゴーは棚から持ち出された商品を正確に認識したそうです。[*7] さらに一般的な万引きの手口も通用しないといわれます。

顧客がバッグに入れた商品は自動的に仮想ショッピングカートの購入リストに追加されます。逆に一旦入れた商品をバッグから取り出して陳列棚に戻すと、やはり自動的にショッピングカートのリストから削除されます。

ただし店内にいる顧客同士の商品の受け渡しは禁止されています。これは棚から商品を取り出す行為がそのまま仮想カートの購入リストへの追加と認識されるため、一旦取り出した商品を別の人に渡すと、渡した人のほうが課金されてしまうからです。

このようにして買い物が終わると、あとはバッグを持ってゲートを通過し店を出るだけです。興味深いことに、この時点で顧客は買った商品を確認することができません。

それができるようになるのは、店を出て10分ほど経過してからです。ここでスマホから購入リストの内容を確認し、仮にそこで間違いが見つかれば購入リストの修正処理が行えます。店を出て1時間以上が経過すると漸（ようや）く自動決済が行われ、それがスマホ画面上に通知されます。

なぜあえて、このような流れにしたのか、その理由をアマゾンは明らかにしていません。が、恐らくはアマゾン・ゴーという呼称から連想される「商品を手に取って店を出るだけ」というイージーな顧客体験を提供するためでしょう。購入リストの確認などは「自宅に帰った後、落ち着いてやってください」という意味ではないでしょうか。

ディープラーニングや各種センサーで顧客が何を買ったかを判定するなどの点で、アマゾン・ゴーは店舗全体が一種のＡＩロボットであると考えても、あながちこじつけとはいえないでしょう。

不愛想な店員よりロボットのほうがマシ

（前述のように）アマゾン・ゴーは２０１９年５月、12号目の店舗をニューヨーク市内にオープンしました。これと前後し、アマゾンは第２本社ビルをいったん（ニューヨーク州内の）クイーンズ地区に建設することを決定していました。

しかし、その見返りに同社が州政府から30億ドル（３０００億円以上）もの助成金を受け取ることがメディアで報じられました。さらにアマゾンのクイーンズ進出で周辺アパートの家賃が高騰するとの見通しが高まると、地域住民らの猛烈な反発を招きました。これを受けて２０１９年2月、アマゾンは同ビル建設を突如キャンセルしたという経緯があります。

このためアマゾン・ゴーのニューヨーク進出には冷たい視線が向けられるのではないかという懸念も囁かれましたが、実際オープンしてみると物珍しさも手伝ってニューヨーカーたちの受け止めは好意的でした。[*8] せっかちな客が多いので、やはりレジに並ぶ必要のない点が好感されたのです。

また、それまでアマゾン・ゴーは現金での支払いができませんでしたが、ニューヨーク進出に伴い現金での支払いも受け付けるようになり、この点も市民から評価されました。一方で同市に多発する高度な万引きの手口に、アマゾン・ゴーが十分に対処できるかどうかを危ぶむ声も聞かれます。

このように、おおむね肯定的な顧客とは対照的に、地元商店街の店主らはアマゾン・ゴーのニューヨーク進出に神経を尖らせています。顧客が無言で商品を手に取って店を出ていくアマゾン・ゴーでの無機質な買い物体験を彼らは批判し、笑顔を絶やさない店員と顧客との触れ合いこそが自分たちの強みだと自負しています。

ただニューヨーク市内の小売店には不愛想な店員も多く、彼らの仏頂面に接するよりは、いっそロボットのようなアマゾン・ゴーで気楽に買い物をしたほうがマシという声も、一部市民の間からは聞かれるようです。

話題性抜群のアマゾン・ゴーですが、今のところ各店舗の面積は170㎡程度と（米国のコンビニ店としては）比較的小規模です。多数の監視カメラを装備しているとはいえ、顧客全員の行動を追跡するのは技術的に限界があるため、あまり店舗面積を広げ過ぎると対処しきれないからです。

従ってアマゾン・ゴーの技術を（同社が２０１７年に買収した）ホールフーズのような大規模店舗に導入するには、もう一段の技術革新が必要です。

これまでアマゾン・ゴーの売り上げは公表されていません。米アマゾンの総売上高は２０１８年に２３２９億ドル（約26兆円）に達しましたが、そのうちアマゾン・ゴーの占める割合は識別できないほど小さいと見られます。現時点では、一種実験的なプロジェクトといえそうです。

労働環境の改善につながるか

アマゾン・ゴーのような店舗省人化は、米国よりも、むしろ日本のコンビニ業界のほうが急務となっています。人手不足や人件費の高騰などから、月に３００〜５００時間も働く店長も存在するなど、労働環境の悪化が問題視されている日本のコンビニ店。これまでの24時間営業は「もはや無理」という声が上がっています。

これを受け、大手コンビニ各社は大きな方針転換を打ち出しました。

ＮＨＫの報道によれば、国内の店舗数が約２万１０００店と業界最大手のセブン－イレブン・ジャパンは２０１９年11月、深夜休業のガイドラインをフランチャイズ加盟店等に配布。23時から翌7時のどこかの時間帯で深夜閉店できるという選択肢を提示しました。

これに応じ、２０２０年１月には約70店舗が深夜閉店に踏み切った模様。さらに約２２０0店舗が深夜閉店を検討していると見られます。

店舗数が約１万６０００店のファミリーマートでも同様の選択肢を加盟店に提示したところ、約60店舗が深夜閉店の実験に踏み切り、約７０００店舗が深夜閉店を検討中と見られます。

さらに店舗数が約１万５０００店のローソンでは２０２０年１月に約１００店舗が深夜休業の実験を行い、約５００店舗が検討中と見られています。

これまで営業時間の短縮を渋ってきたコンビニ各社の本部が、ここに来て方針転換を打ち出した理由は、経済産業省の有識者会議や公正取引委員会などから、コンビニの労働環境改善を促す圧力がかかったことが一つ。

もう一つの理由は消費者の反応です。経産省の調査では、消費者の14・8％が「（コンビニの）深夜営業は不要」と回答。さらに「店の判断に委ねる」が35・２％、「地域によっては必要」が40・８％、「必要」が９・１％となり、コンビニ深夜営業の必要性はそれほど高くないことが判明したのです。

このため本部側としては、本来なら時短をして加盟店の負担を減らし、より人間的な労働環境へと改善すべきですが、現実問題としてそれが叶わなかった場合、ＡＩなどハイテクを使った省人化は日本のコンビニ業界こそ率先して取り組まねばならない課題のはずです。

セブン-イレブンは2018年12月、日本電気（NEC）のグループ社員が入居している三田国際ビル（東京都港区三田）の20階に省人型店舗をオープンしました。ここでは以前からセブン-イレブンとNECが共同開発してきた顔認証による「セルフレジ」、つまり顧客が自分で決済するレジを導入しています。

この店舗を利用できるのはNECグループ社員のみ。あらかじめデータベース登録しておいた顔を店内のカメラで認証したうえで、陳列棚から取り出した商品をレジに持って行き、そこで商品のバーコードをスキャンして社員証で決済します。商品の代金は給料から天引きされるしくみです。

ただし同店舗は面積がわずか26㎡、扱う商品数も約400品目と標準的なコンビニに置かれる約2900品目の1割強しかありません。[*9] また営業時間は、NEC営業日の7時30分~18時に限定されます。

一方、アマゾン・ゴーのように、より本格的な店舗省人化についてセブン-イレブンは懐疑的です。（前述の）セルフレジ店をオープンした当時の同社・代表取締役社長は次のように語っています。[*10]

「『Amazon Go』や中国の無人店舗のように、カメラを200台設置してすべての棚にセンサーを入れて……というのは実用にはほど遠いと考えている。（中略）セブン－イレブンにとって、お客さまとのコミュニケーションや、『寒いときはおでんや中華まん、暑いときにはアイスクリームや冷やし蕎麦』というような『変化対応』が一番大事な部分だと思っている。（中略）
ただ、省人化は必要。お客さまとの接点をもっと増やすことは、売り上げを伸ばすのと同じくらい大事なイノベーション。お客さまとの時間をより多く取るための挑戦をしていくことが大事と考える」

この発言から判断する限り、セブン－イレブンにとってセルフレジのような省人化の取り組みは、それによって浮いた人員を顧客との接点創出に振り向けることが主な目的。昨今、問題視されている店舗従業員の労働環境を改善する手立てとは見ていないようです。

これに対しコンビニ業界3位のローソンは、2019年8月から横浜市内にある氷取沢(ひとりざわ)町(ちょう)店で、深刻化する人手不足への対策として、午前0～5時までセルフレジなどによる無人営業実験を実施しました。[*11]

客は入り口で顔写真を撮るか、専用装置でスマホ画面上のQRコードを読み取らせるなどして入店。購入した商品をバーコード・リーダーで読み取り、無人レジに現金を投入するか、クレジットカードや電子マネーを使うなどして決済します。

同店舗の店長は「想定していたよりも売り上げの減少はありません。（中略）このしくみを活用すれば1人いれば対応できるので、何とか赤字にならないで済む。しかも仕事の負担も大きく軽減されています」と語ります（テレビ東京「ワールドビジネスサテライト」（2020年2月18日）の報道より）。

一方、ローソンを利用する顧客の反応ですが、当初は「（無人レジでの支払いは）面倒臭くて嫌だ」という客も見られましたが、その後、客がこれに慣れてくると、そうした苦情はめっきり減ったようです。

ただ酒類とタバコの販売は店員による客の年齢確認が必要になるので、無人レジではできません。このため深夜の無人営業に踏み切って以降、その分だけ店の売り上げが落ち込みました。今後は顔認証技術などを使って酒やタバコを販売できるよう、年齢確認に関する法規制の見直しを求めていくとされます。

さらにローソンでは今後、アマゾン・ゴーのようにＡＩを使った先進的な店舗自動化にも取り組んでいく方針と見られています。２０２０年の前半には、富士通の開発拠点「新川崎テクノロジースクエア」にレジ無し店舗を設け、実証実験を行います。

一方、お隣の中国ではこれまで電子タグ（ＲＦＩＤ）を使った無人コンビニが主流でしたが、今後はアマゾン・ゴーのように「ＡＩと監視カメラ等による省人店舗」が増加していくと見られています。[*12] その初期投資は高くつきますが、いちいちＲＦＩＤを商品に貼り付ける手間やコストを考えると（アマゾン・ゴー型のほうが）長期的にはペイすると考えられるからです。

巨大スーパーの陳列棚を管理する巡回ロボット

小売業務の自動化には、店舗自体には手を加えず、むしろそこに新種のロボットを導入するやり方もあります。米アーカンソー州に本部を置く、世界最大のスーパーマーケットチェーン「ウォルマート」が選んだのは、その方式です。

同社は２０１９年１月、カリフォルニア州南部にある50店舗に、米ボサノバ・ロボティクス製の巡回ロボットを試験的に導入しました。

全高１９０センチほどのタワー（塔）型の同ロボットは、その底部に車輪がついています。そしてライダー（レーザー・レーダー）で計測した位置情報を基に、自動運転車と同様の原理で、店内の買い物客や障害物などを回避して移動します。またタワーの胴体には、数十個のビデオカメラが縦方向に配置されています。

このロボットはウォルマートの店内を自動的に巡回して、これらのビデオカメラで（数段にわたる）陳列棚を下段から上段まで全部チェック。この映像をディープラーニングで解析することにより、品切れ、あるいは品薄になった商品を検知。その情報をインターネット経由で店員に通知し、棚への商品補充を促します。

このロボットの仕事はそれだけではありません。商品に貼られた値札と陳列棚に貼られた値札との間で値段が食い違っている、あるいは本来値札が貼られているべき商品や場所にそれが貼られていない等の問題も検知します。

品薄・品切れ等の情報は、ロボットからモバイル・インターネット経由で一旦クラウド上にアップされます。その情報を店員が手元のモバイル端末などでチェックすることで、（商品補充など）しかるべき対応処置をとることができます。

以上の情報は（ロボットの巡回速度に合わせて）クラウド上で常時更新されるので、店員らは陳列棚に置かれた商品数や在庫状況などをリアルタイムで把握できます。また他の店舗と情報をシェアすることもできます。

これは実店舗とEコマースとの連携を進めるウォルマートにとって大きな意味を持ちます。最近では、客がインターネットで注文した商品を、実店舗で受け取るケースは珍しくありません。その際、客がどの店舗に行けばその商品や在庫が十分にあり、確実にそれを受け取ることができるかを、ウォルマート側では常に把握しておけるからです。

こうした在庫管理はアマゾン・ゴーでも実施されています。しかし、そのためには陳列棚全体にわたって多数の重量センサーやマイクロフォン、天井には数百個もの監視カメラが必要となります。このやり方は現時点のアマゾン・ゴーのように、店舗面積が170㎡程度と小規模な店舗の場合には可能です。

これに対しウォルマートは、チェーン各店の面積がいずれも1万~1万5000㎡に及ぶ巨大店舗です。そこでアマゾン・ゴーのような方式を採用したとすれば、桁違いに多数のビデオカメラやセンサーを設置するなど、巨額の改装費用がかかってしまいます。

それよりは店舗は従来のままにして、そこに巡回ロボットを導入する方式をウォルマートは選択したわけです。

2019年1月に開始した実証実験の手応えが良かったため、ウォルマートは同年4月、この巡回ロボットを300店舗以上に追加導入しました。[*13] さらに2020年内には1000店にまで増やす予定です。全米に約4600店舗を展開していますから、店舗全体の2割以上でこの巡回ロボットが使われる勘定になります。

それによって「店舗従業員の雇用が奪われるのではないか」という懸念に対し、ウォルマートは「ロボットは従業員の仕事の一部を肩代わりするだけで、その雇用を奪うことはない」と回答しています。

人間の助けを求める宅配ロボット

以上のような巡回ロボットと同様の技術は、これから紹介する宅配ロボットにも活用されています。これらのロボットが移動するしくみは基本的に自動運転車と同じです。人間を乗せて走る自動運転車には人命がかかっていますから、それが実用化（商品化）されるには最高レベルの完成度が求められます。当然、それまでには長期にわたる研究開発や実証実験等が必要です。

これに対しスーパーマーケットの店舗内を巡回して陳列棚をチェックしたり、各種商品を消費者の自宅まで配送するようなロボットは（それらが低速で移動することもあって）技術的に完璧ではなくても重大事故を引き起こす危険性は小さいと見られています。ですから比較的短期間で実用化に漕ぎ着けることができるのです。

２０１４年、米サンフランシスコに設立されたスターシップ・テクノロジーズ社は、そんな宅配ロボットの開発・商品化を手掛けるベンチャー企業の一つです。

同社が開発したロボットは中型犬ほどのサイズで重量は約18キログラム。その姿形はちょうど電気炊飯器のような若干丸みを帯びたボックス型で、その底部には移動用の車輪がついています。

ロボットにはＧＰＳの他、各種センサーとビデオカメラ、そしてＡＩが搭載されており、これによって歩行者や障害物などを自動的に回避して、安全に移動することができます。路上を進む速度は時速４～６キロ程度と、ほぼ人が歩く速さと同じです。

宅配ロボットの最大積載量は約10キログラム。小売店の棚に置かれたさまざまな商品、あるいはレストランの厨房で調理された食品等を、配達員に代わって消費者の自宅まで運ぶことを想定して作られました。

実際の利用シーンでは、まず消費者（ユーザー）がスマートフォンから各種商品や料理などを注文します。これを受けた小売店やレストランなどが、それらの商品・調理品を宅配ロボットのボックス内に入れて蓋を閉

写真３
自動で商品や料理などを宅配するロボット
出典：https://medium.com/starshiptechnologies/hello-robot-28b9b73787bf

じると、自動的にロック（鍵）がかかります。

ロボットはゆっくりと歩道・路上を移動して、消費者の自宅まで商品等を届けます。移動距離は最長で約6キロメートル、それに要する移動時間は20〜30分程度を想定しています。

商品を注文したユーザーは、それを運んで来るロボットが今、どの辺りまで近づいているかをスマホで常時確認できます。自宅に到着したロボットに対し、ユーザーがスマホからパスコードを入力すると、蓋のロックが解除されます。ユーザーはロボットの蓋を開いて、中から商品を取り出して蓋を閉じます。するとロボットは自動的に店まで帰っていきます。

すでに同ロボット25台は、米バージニア州にあるジョージメイソン大学で使われています。[*14] この大学周辺にあるレストラン、あるいはキャンパス内のカフェテリアなどで用意された調理品などを、主に学寮に住む学生たちへとデリバリーしているのです。

ただ、この宅配ロボットの完成度はお世辞にも高いとはいえません。しょっちゅう、あちこちでトラブルに巻き込まれているのです。

まず車輪で移動するため階段を上れないので、学寮の上階に住む学生に料理を届けることができません。注文した学生が階段を下まで降りてきて料理を受け取ってくれれば助かりますが、不精な学生の場合、なかなか降りてこようとしません。

その間、ロボットは階段下でじっと止まったままですが、たまたま運が良いと親切な学生がロボットを両腕で抱きかかえて上階まで運んでくれることもあります。

あるいはロボットが歩道を移動中に想定外の溝やデコボコ、ぬかるんだ泥地などに車輪がはまって動けなくなることもあります。その場合、偶然近くを歩いていた親切な歩行者がロボットを持ち上げて歩道上の平坦な場所に置き直してくれたりします。

しかし逆に街のゴロツキなどの目にとまって、炊飯器型のボディに蹴りを入れられたり、その鍵をこじ開けて配送中の商品を奪われそうになることもあります。この場合も、運が良ければ近隣の住民らが騒動に気づいて悪者を追い払ってくれます。

このように、どんなケースでも窮地に陥った宅配ロボットを助けてくれるのは人間なのです。

そこで開発元のスターシップ社が（その技術開発と同じくらいに）力を注いできたのが宅配ロボットのデザイン、つまりルックスです。できるだけ私たち人間の同情を誘うような、どことなく頼りなくてかわいらしい外見にしようとしたのです。

このために同社の開発チームはあらかじめ10種類以上のデザインを考案し、各々の案に沿って試作した宅配ロボットを歩道の上に置いたまま、その場を立ち去りました。そして近くのレストランに入って、その窓からこっそりと歩行者の反応を観察したのです。

これら10種類以上の中から最も歩行者の受けが良いと判断されたのが、現在の丸みを帯びたボックス型のデザインでした。この宅配ロボットはまた、トラブル等に巻き込まれた際に、ちょうど映画『スター・ウォーズ』に登場するR2－D2のような奇妙な電子音を出しますが、それも人に気に入られそうな愛嬌のある音（声）に調整されています。

他にもサンフランシスコ近辺のバークレイに本社を構えるキウイ・キャンパスなど、ベンチャー企業数社が宅配ロボットを商品化していますが、いずれもスターシップ社と同様、丸みを帯びたボックス型のデザインです。

また中国でも、こうした形状の宅配ロボットはベンチャー企業などによって盛んに開発されています。新型コロナウイルスが猛威をふるった武漢などでは、街中の病院に荷物を配達したり、隔離病棟で食事の配膳などに使われました。

もちろん、ヒューマノイドのような宅配ロボットも開発されています。

米アジリティ・ロボティクス製のヒト型ロボットは2本脚で歩くので、階段を上り降りすることができます。このため車輪で移動する宅配ロボットがたどり着くことができない、ビルの上層階などにも品物を届けることができます。

ただし歩くのが遅いので長距離を移動するのは無理です。このため同ロボットは自動運転車に乗せられて移動し、指定された住所に着いたら配送品を両手に持ってクルマを降り

写真４　歩いて荷物を届けるヒト型ロボット
出典：https://www.agilityrobotics.com/#cover

ます。そして配送先のユーザーの部屋まで階段を上って品物を届けるのです。

いずれのベンチャー企業（メーカー）も、当初は大学キャンパスを中心に宅配ロボットの普及を図っています。学生たちは進取の気性に富んでいますから、これは妥当な選択でしょう。

よく学生は寝坊をして朝食を抜くことが多いといわれますが、これらの宅配ロボットがキャンパスに導入されて以来、（ロボットが学寮まで食事を運んでくれるので）ちゃんと朝食を摂るようになり、日頃の栄養状態も改善されたそうです。

少なくともメーカー側ではそう主張しています。

ドローン宅配サービスの障害とは

宅配ロボットは歩道上を低速で移動するので、極めて予想外のアクシデントでも起きない限り、歩行者や地域住民らに被害を与える危険性は小さいと見ていいでしょう。このため（少なくとも米国では）政府当局から厳しく規制されるようなことはありません。

これに対し空を飛ぶドローン（無人機）となると、そう簡単に見逃してもらうわけにはいきません。上空から落下すれば、地上の住民や歩行者、あるいは建物などに深刻な被害を与える可能性があるからです。

最初に「ドローンによる宅配」というアイディアが世界的な注目を浴びたのは、2013年12月にアマゾンが注文された品物をドローンで郊外の住居まで配達する動画が公開されたときです。ただし、これはあくまでもプロモーションビデオに過ぎません。

実際には、米国のFAA（連邦航空局）はこれまで安全性を確保するために、アマゾンなどによるドローンの商用利用を厳しく規制してきました。つまり原則禁止する一方で、人口密度が比較的小さい地域に限定するなど、ケース・バイ・ケースで使用許可を出すというスタンスです。

2019年4月、FAAはアルファベット（グーグル）傘下でドローンの商用化事業を進めるウィング・アビエーション社に対し、米バージニア州の山沿いにあるブラックスバーグという町における商品配達サービスを許可しました。これが米国でドローンによる宅配ビジネスが認可された最初のケースです。

また同年6月にはアマゾンが、商用化に向けて開発した新型ドローンを公開しました。それはヘリコプターと飛行機を組み合わせたようなデザインで、上下・水平方向に移動できます。またAIによる自動操縦で飛行し、約24キロメートル以内の範囲に最大2キログラムの商品を運ぶことができます。

このドローンを10万台導入すれば、年に12億ドル（1200億円以上）の配達コストを節約できるとアマゾンは見積もっています。それはいわゆる「（配達サービスにおける）ラストマイル問題」を解決してくれるからです。ラストマイルとは商品を消費者の自宅まで輸送するルートの最終段階を指しており、この部分が配達コスト全体の50～60％を占めると見られています。

ただ米国における宅配ドローンの実用化では、アルファベットのほうがアマゾンよりも先行しています。ウィング・アビエーションは2019年10月、極めて限定的ながらも（前述の）バージニア州の一部地域でドローンによる小荷物の配達サービスの試験運用を開始しました。

他の国々に目を向けると、すでに中国、オーストラリア、アイスランド、ルワンダなどでドローンによる宅配事業は開始されています。ただ、それらは基本的に広大な平野や山間部の村など人口密度の低い地域におけるサービスです。

世界初のドローン宅配便は、中国のEコマース大手JDドットコムが2016年に農村部で開始した商品配送サービスと見られています。

また東アフリカにある人口1200万人の小国ルワンダでは、政府が米ベンチャー企業の「ジップライン」と提携して、首都キガリにある血液バンクから地方の病院に向けて、手術時に必要な輸血用の血液や医薬品等をドローンで配送するシステムを整備しました。[*15]

これら地方病院では手術に先立ちメールなどで血液を注文すると、血液バンクのスタッフがそれを梱包してドローンに積み込み、発射台から離陸させます。そこからドローンは飛行時間にして十数分から最長90分程度の距離を飛んで、血液を病院まで送り届けます。ドローンが配達した血液は上空からパラシュートで着地し、それを病院のスタッフが拾い上げて輸血に使います。

さらにスペインでは、カナリア州の警察が交通違反を上空から取り締まるためにドローンを使い始めました。

このように諸外国で先行するケースが出始めると、米国でも「規制を緩和して商用化を加速させるべきだ」との声が高まってきます。しかしFAAはなかなか首を縦に振ろうと

写真５　楽天・西友が取り組んでいるドローン（つのだよしお／アフロ）

はしません。

日本のドローン・ビジネスも基本的には米国と同様の状況にあります。日本郵便は２０２０年３月、東京・奥多摩の中山間地域でドローンを用いた郵便物の配達実験を行いました。

今後、ドローンによる宅配ビジネスを本格化したいのであれば、離島や山間部だけでなく都市部など人口密集地域でもサービスを開始する必要があります。しかし航空法やドローン規制法によって、人口集中地域や空港など重要施設がある空域ではドローンの飛行が原則的に禁止され、特別に飛行させる場合には国土交通省による許可が必要です。

これに対しては米国同様、日本のドローン関係者も規制緩和を要求したいでしょうが、やはり安全性を優先すれば、こうした規制はやむを得ないと思われます。今後、機体の制御技術がいかに向上しようと、ドローンが上空で暴風雨に煽られたり、鳥と衝突したり、誤作動によって落下する危険性は拭い切れません。

それでも仮に少数のドローンが飛行するのであれば落下事故が起きる確率も小さいはずですが、都市部で配送サービスを展開するとなれば、常時多数のドローンが人口集中地域の上空を飛ぶことになります。これでは、やはり規制当局としても慎重にならざるを得ません。

ドローンはまた、地域社会における人権侵害を引き起こす恐れもあります。

前述のウィング・アビエーションはオーストラリアの首都キャンベラの郊外で、ドローンを使って食料品や医薬品を送り届ける宅配サービスを試験的に展開しました。その利用者からは「手軽で便利」という声が聞かれる一方で、地域住民からは「ローターやプロペラによる騒音がうるさい」「プライバシーが侵害される」などの苦情がオーストラリア議会の調査委員会に寄せられています。

これら安全性や騒音などの問題を解決する技術が実現するまでは、ドローンを使った宅配等のビジネスは人口密度の低い地域に限定して展開するのが妥当と思われます。

ただし日本政府は2022年をめどに、都市部でもドローンが目視外で飛行できるようにする方向で検討しています。[*16]

人手不足と高齢化が促す農業自動化

ドローンは一種の汎用ロボットであり、他にも火山の噴火口など危険な場所の空撮、あるいは土木建設業界におけるインフラ点検や、警備業界における監視業務など多方面への応用が図られています。

中でも、ひときわ大きな期待を集めているのが農業分野への活用です。

日本の農業就業人口は２０００年の３８９万人から、２０１８年には１７５万人へと55％も減少。２０３５年には約１００万人まで落ち込むと見られるなど、減少に歯止めがかかりません。

また現在、基幹的な農業従事者の平均年齢は67歳。[*17] これら人手不足と高齢化への対抗策として、ＡＩを搭載したドローンやロボットに熱い視線が向けられています。

たとえばビデオカメラとＡＩを搭載したドローンを使えば、農地の上空から農作物の生育状況を詳しく把握することができます。そこで撮影した映像をディープラーニングで解析して、害虫被害に遭った農作物だけにピンポイントで農薬を散布するなど、効率的で環境面にも配慮した新しい農業への転換が期待されています。

一方、米国ではドローン以外にも、自動運転のトラクターや収穫機などが盛んに開発されています。また通常（手動）のトラクターなど農耕機械に、ＧＰＳや「ライダー」など各種センサーを取り付けて、自動運転化する取り組みも進んでいます。

これら農業自動化の背景にあるのは（日本同様）農業就労者数の減少です。

少し古いデータですが、２０１２年の米国農業センサスによると米国の農業経営総数は約２０８万、また農業従事者数は３１８万人ですが、深刻な減少傾向にあります。[*18] 20世紀初頭、米国総人口の約３分の１を農業従事者が占めていましたが、今日その数字は１％を下回りました。

広大な農地で大型のトラクターやコンバインをフル稼働させる、機械化農業のイメージが強い米国ですが、野菜や果物の収穫には繊細な手作業が必要となるため機械化が難しく、人手に頼らざるを得ません。

これまで、その主な労働力はメキシコなど中南米諸国からの移民、あるいは不法就労者らに依存してきました。米農務省の調べでは、米国の雇用農業従事者の約70％は外国人労働者ですが、その半数はビザ（入国査証）を持たない不法移民です。

しかし近年、米国の連邦・州政府は不法移民の取り締まりを強化し、２０１７年にトランプ政権が誕生してからは、メキシコとの「国境の壁」建設など、それが顕著になっています。厳しい取り締まりで不法移民の数が減少すると、米国の農場では労働力を確保するのが難しくなります。

中でも約1万1000人の農業労働者を失ったジョージア州では、苦肉の策として刑務所に収監された囚人らのうち出所間近の人たちを、有給で果物農園などの収穫作業に動員する特別プログラムを設けました。

しかし激しく照りつける太陽の光に肌を焼かれながら、広大な農園で延々と果物を摘み取る作業は過酷を極め、囚人の大半は音を上げて脱落してしまいました。彼らは刑期を終えて出所した後も、そうしたつらい仕事に就こうとはしませんでした。

野菜や果物を収穫するロボットの登場

このような状況に直面した米国の農場経営者らは最近、AIを搭載した農業ロボットに注目し、これに農作物の収穫作業を任せようとしています。

かつて20世紀に普及したコンバインは、広大な農地で小麦やライ麦、カラス麦、大麦など穀物を収穫するための汎用農機でした。やがて大豆や米、綿花などの収穫も機械化されましたが、これら主要農作物の大半は株の根元から大胆に刈り取れるので、機械で収穫することができたのです。

これに対し各種の果物や野菜などは、それらを枝から摘み取る際に、より繊細な扱いが求められます。また同じ株から熟している実だけを選んで（つまり未熟な実はそのまま残して）摘み取る必要があるので、コンバインのような農機で機械的に収穫することが難しかったのです。

しかし最近のＡＩ、特にパターン認識技術の発達により、これら果物や野菜なども機械（ロボット）で収穫することが可能になりました。ただし、これら収穫ロボットは汎用ではなく、特定の農作物に特化した専用マシンです。

つまり各ロボットは、それぞれ１種類の農作物の収穫にしか使えないため、それらは多くの人たちが日常的に消費している（主要な）果物や野菜に限られます。そうでなければ、これらロボットの研究開発に要した巨額コストを回収できないからです。

今のところ、こうした条件に該当するのは「リンゴ」「シトラス（柑橘類）」「イチゴ」「（キャベツやレタスなど）葉物野菜」、そして「ブドウ」の5大作物と見られています。すでに、これらを収穫するロボットは世界各国の大学や企業などで開発され、その一部は実際に農園で使われ始めています。

たとえば米国のベンチャー企業「アバンダント・ロボティクス」、スペインの「アグロボット」、英国の「ドッグトゥース」、ベルギーの「オクティニオン」、そして日本の宇都宮大学などが、そうした収穫用ロボットを開発しています。

このうちアバンダント・ロボティクス製の農業ロボットは、2019年5月にニュージーランドの広大な果樹園で試験的に導入されてリンゴの収穫に使われています。

このロボットは一見、大型トラクターのような四輪車で、その車体の側部にはリンゴを吸引して取り込むための巨大ホースが取り付けられています。

このロボットは「ライダー」などのセンサー情報を基に、基本的には自動運転車と同じ原理で農場内のリンゴ樹が並ぶ列の間を自動走行します。その吸引用ホースの先端にはビデオカメラが装着されており、これが撮影した映像をディープラーニング技術で解析します。

これによりリンゴの色や光沢などから熟し具合を判定（パターン認識）して、熟している実だけを選んで摘み取っていきます。その際には巨大ホースでリンゴを吸引して摘み取るので、金属製ロボット・ハンドのようにリンゴの表面を傷つける恐れがありません。

ちなみにアバンダント・ロボティクスには、日本のクボタやヤマハ発動機も各々、数億円を出資。農業従事者の減少を背景に、高まる自動化ニーズに対応するとしています。

課題は屋外使用に伴う天候変化への対応

一方、米フロリダ州にある「ウィッシュ・ファームズ」というイチゴ農園では、農園の所有者（経営者）自身がベンチャー企業を創業して、ここでイチゴを収穫するロボットを開発しています。[*19]

この巨大農園では、書き入れ時のシーズンに650人もの労働者を雇って、2000万個以上のイチゴを収穫しています。労働者の報酬は各々の収穫量に応じた歩合制ですが、平均では時給15ドル（1700円）ほどです。彼らは日の出と同時に広大な農園に散って、一斉にイチゴの摘み取り作業を開始し、休憩時間を挟んで日没まで働くので、日給はおおむね150〜200ドル（2万円）くらいになります。

米国では不法移民の取り締まりが厳しさを増すにつれ、イチゴの収穫作業に従事する労働者を安定的に確保するのが難しくなり、その賃金も高騰しています。このため人間の労働者を補う、あるいは（将来的には）完全に代替するために、農園経営者はイチゴ収穫ロボットの開発を進めているのです。

このロボットはすでに試作され、イチゴ農園の中で試験的に使用されていますが、本格的な実用化には至っていません。最大の障害は突然の風雨や気温・湿度の変化など、ロボットの屋外使用に伴う不安定な環境変化です。

これまでの産業用ロボットは、基本的に空調施設やクリーンルームなどを完備した工場など屋内で使われてきました。ロボットは、このように安定した環境下で「溶接」や「組み立て」など同じ作業を反復することは得意です。

しかし農園のような屋外で、急激な天候の変化など予想外の事態に臨機応変に対処することは、現在のロボットが最も苦手とするところです。

日本でも収穫ロボット等の開発は進んでいますが、この問題をどう克服するかが、今後農業にロボットを本格的に導入するための最大の鍵となっています。

鎌倉市のベンチャー企業「ｉｎａｈｏ（イナホ）」は、主にビニールハウスなど屋内で栽培されるアスパラガスやキュウリなどを自動で収穫するロボットを開発。ビデオカメラで撮影した画像をディープラーニングで解析し、十分に生育したと判定された野菜だけを収穫します。

同社はこのロボットを農家に販売するのではなく、むしろ貸し出すことで、農家の野菜販売額の一定割合を報酬として受け取るビジネスモデルです。[*20] 農作業の負担を感じている高齢農家や、農機具への出費を抑えたい新規就農者などの利用を見込んでいます。

軍事に応用されるＡＩロボット

ここまでさまざまな分野に導入される次世代ロボットを見て来ましたが、その締めくくりとしてＡＩを搭載した自律型兵器の現状を押さえておきましょう。こう聞くと「近未来を描いたＳＦ」とでも思われるかもしれませんが、すでに実在し、しかも日本政府が早々と導入を決めています。

2017年11月に防衛省が導入を発表した、「LRASM（Long Range Anti-Ship Missile）」と呼ばれる長距離巡航ミサイルがそれです。

シンクタンク「新アメリカ安全保障センター」の上級研究員、ポール・シャーレ氏は米ウォール・ストリート・ジャーナル紙に寄稿した記事の中で、[*21]このミサイルを自律型兵器の代表例として紹介しています（同氏はかつて米国防総省で、この種の兵器に関する勧告書をまとめたことで知られます）。

米ロッキード・マーチンが製造・販売するLRASMは、射程距離が約900キロメートルの対艦巡航ミサイル（対地攻撃も可能）。その最大の特徴は（ミサイルに搭載された）各種センサーとAIを駆使した自律的な攻撃能力です。

遠方海洋を航行中の敵艦隊に向けて発射されたLRASMは、自力で敵のレーダー網をかいくぐりながら飛行。「AOU（不確実エリア）」と呼ばれる領域まで接近すると、敵艦隊を構成する複数の軍用艦の中から、あらかじめ自軍の指揮官が攻撃目標に定めた軍用艦（に最も近いと見られるもの）を見つけ出し、これに突っ込んでいきます。

こうした自律型兵器はすでに多くの国が自主開発、あるいは他国から輸入して実戦用に配備しています。

英国空軍の空対地ミサイル「ブリムストーン」、韓国が北朝鮮との非武装地帯に配備した哨兵ロボット「SGR－1」、イスラエルで開発されトルコやインド等にも輸出された対レーダー・ミサイル「ハーピー」、あるいはロシア製の小型戦車「ネレータ」などは、（戦場における指揮官や兵士ら）人間をサポートするための自律性を備えています。

さらに「無人ステルス戦闘機」や「無人潜水艦」など、現在各国で研究・開発段階にある自律型兵器まで含めれば枚挙に暇がありません。それらの中には、米ノースロップ・グラマンの無人戦闘機「X－47B」のように、米国防総省が推定2億ドル（200億円）以上もの巨費を投じながら、現場（制服組）の反対や予算上の制約等から開発が中止されたケースもあります。

容易に想像がつくように、この種の兵器開発には現場の心理的抵抗や戦争倫理、巨額のコストなどさまざまな摩擦がつきものです。それでも敢えて各国が自律型兵器の開発・導入へと舵を切るのはなぜなのか？　その理由や背景を、米・中の2大国を中心に見てみましょう。

3度目の軍事刷新

過去を振り返ると、米国は強力な新型兵器の開発で常に世界をリードしてきました。

第二次大戦中に開発された原子爆弾を端緒とする核兵器、１９７０年代のマイクロ・プロセッサによって実現された精密誘導兵器など、各時代の先端技術を兵器に応用することで（当時の）ソ連など対立陣営への軍事的優位性を確保してきたのです。が、これらの新型兵器はやがて対立陣営にも広まり、過去2度にわたって築かれた米国の突出した優位性はその度に失われました。しかし毎年数千億ドル（数十兆円）もの軍事予算を割く、この国は諦めることを知りません。

米国は今回、私たち人間の認識・操作能力では太刀打ちできないほど、高い精度とスピードを兼ね備えたＡＩ兵器を来る時代における戦力の要に据え、新たな差別化を図ろうとしています。国防総省はこれを「３度目の軍事刷新（Third Offset）」と呼びます。

その中で今のところ最も開発が進んでいるのはドローンです。米軍はこれまで「プレデター」など軍事ドローンを、アフガニスタンやイラクなど各国で偵察・攻撃用に投入してきましたが、いずれも人間のオペレーターが遠隔操作する方式でした。

２０１９年9月、サウジアラビアの石油施設が合わせて20機以上のドローンや巡航ミサイルで攻撃され、世界の原油市場が一時混乱に陥りました。直後にイエメンの反政府武装勢力フーシ派が犯行声明を出したことからもわかるように、「貧者の兵器」とも呼ばれるドローンは軍事力の非対称性（注４）を打ち砕き、世界の安全保障を揺るがす新たな火種となりつつあります。しかし、これらのドローンも現時点では自律的に飛行するというより、あらかじめプログラムされたルートに沿って飛行するだけです。

これに対し今、米国などで開発が進められているのは、(AIを搭載することで)ある程度の自律性を備えたドローンです。すでに米軍の海兵隊は、マサチューセッツ州の海岸等に設けられた疑似市街地で自律型ドローンの実証実験を行っています。このドローンを離陸させるには兵士の操作が必要ですが、一旦飛行し始めると、敵の兵士やテロリストなどを上空から見つけて監視する作業はドローンが自らの判断で行います。

ディープラーニングのような先端AIを搭載したドローンはパターン認識にすぐれ、人間よりも素早く正確に「武装した敵兵・テロリストら」と「味方兵士・民間人ら」を識別できます。上空から撮影され送信されてきた、これらの映像情報を地上で確認した米軍兵士は、味方への誤爆や民間人の巻き添え被害などを回避して任務を遂行できるとされます。

このように米軍はあくまで兵士(人間)が「主」、AIドローンのような自律的マシンが「従」という位置付けで考えており、兵士とマシンが共同する新しい戦い方を(ギリシャ神話に登場する半人半馬の怪物に喩えて)「ケンタウロス戦」と呼んでいます。

しかしAIドローンに今後ミサイルや機関銃などを搭載すれば、それは自律的な殺人兵器に早変わりします。こうしたAI兵器には国連で規制が検討されていますが、米ロなど軍事大国の反対に遭って実効的な成果を上げていません。

（注4）米国など超大国と貧しい武装勢力などの間に存在する武力・兵器技術などの格差

米IT企業と中国の反応

以上のような米国の軍事改革には最近、シリコンバレーのIT企業も重要な役割を果たし始めました。2017年に国防総省（ペンタゴン）が開始した「メイブン」と呼ばれる官民プロジェクトでは、イラクやシリアなど紛争地帯の上空から軍用ドローンが撮影した「IS（イスラム国）」の監視映像をグーグルが解析しました（詳細は第5章で）。

その理由は、映像解析に必要なディープラーニングなど先端AI技術では、今やグーグルのようなIT企業のほうが、ペンタゴンに率いられた軍需産業よりもはるかに進んでいるからです。

しかし当初、秘密裡に開始された同プロジェクトがやがて米メディアによって報じられると、グーグル社内で経営陣に対する激しい反発が生まれ、中には抗議して辞職する社員も出ました。このため同社最高経営責任者のサンダー・ピチャイ氏は、プロジェクト・メイブンから手を引くことを決めました。

その後も国防総省は「ジェダイ」と呼ばれる総額100億ドル（1兆円）以上もの巨大開発プロジェクトをIT業界に発注。これにアマゾンやマイクロソフト、オラクルなど多数の米国企業が入札し、マイクロソフトが落札するなど官民が接近していますが、これら企業の従業員は複雑な心境にあるといわれます（ちなみに、この落札に対してアマゾンが抗議したため、本書執筆中の時点では最終的な決着はついていません。トランプ大統領とアマゾンCEOのジェフ・ベゾス氏は以前から犬猿の仲なので、それを理由に「自分たちは外された」とアマゾンは見ているようです）。

一方、米国の軍事関係者の間でもIT企業への技術依存を懸念する向きがあります。その理由は軍需開発に応用されるAIなど高度技術が、シリコンバレーを経由して中国企業に流出することを恐れているからです。

米国の大学に留学し、その後グーグルやアップルなどIT企業で働いた中国人エンジニアは近年、帰国して中国企業に勤務するケースが増えています。彼らは通称「海亀（ハイグイ）」と呼ばれます。

その背景には、海亀を国内で活用しようとする中国の政策があります。習近平政権は「軍民融合」という基本政策を掲げ、国民と企業に国家情報活動への協力を義務付ける「国家情報法」を2017年に施行。これによって、海亀が米国から持ち帰ったAI技術が中国の兵器開発に転用される危険性が出てきました。米国の軍事関係者はこれを恐れているのです。

米国と並んで中国も最近、ＡＩを応用した自律型兵器の開発に躍起になっています。中国の軍事関係者は、今後どれほど資金を投入しても従来兵器の配備では米国に敵わないと思っています。しかしＡＩ兵器のような新種の戦力であれば、いわゆる「リープフロッグ（蛙跳び）」と呼ばれる現象により、一気に米国を追い越すことも可能と見ているのです。

２０１６年10月、米国防総省はF18戦闘機から１０３機の小型ドローンを飛ばす実験を行いました。これらのドローンはＡＩを搭載しているため、集団で意思決定して編隊飛行できます。しかし、それから間もなく中国の国有企業「ＣＥＴＣ」は、同様のＡＩドローンを使って米国を上回る１１９機の編隊飛行を成功させました。

中国はまた、米国の後を追うように自律型巡航ミサイルの開発にも着手しています。

しかし、こうした兵器技術の発達は戦場の人間性を奪う恐れがあります。

米国の調査では、第二次世界大戦中に銃で敵を狙い撃ちした陸軍兵士はわずか15～20％に過ぎず、ほとんどの兵士が敵の頭上に向けて撃つか、まったく発砲しませんでした。[*22] 人を殺すのが嫌だったからです。

一方、爆撃機のパイロットは照準器で橋、工場、基地などの物理的目標を見て、人間は見ませんでした。このため都市を壊滅させ、何十万人もの民間人を殺しました。（前述の）シャーレ氏は「今後、自律型兵器を使用する人間が、殺人は兵器がやっているのだと感じるようになったら、倫理的責任が弱まり、殺人が増えるかもしれない」と述べています。

産業各界におけるＡＩロボットの開発・導入は、生産性の向上や労働者の負担軽減などの点で基本的に望ましいことですが、こと軍需産業への応用に関しては私たちが注視していく必要があるでしょう。

第４章　医療に応用されるＡＩ

——人から学ぶ人工知能は人（師）を超えられるのか？

高まる期待と必要性

「私の誤診率は14・2％である」——神経内科の権威で東大名誉教授の沖中重雄氏は1963年、東大を退官する際の最終講義でこう述べました。[*1]

この数字は沖中教授が自らの臨床診断と病理解剖の結果を比較して算出した値です。当時、医療関係者はその率の低さに驚きましたが、逆に一般の人々は日本一の名医でも7回に1度は診断を誤ることに衝撃を受けたといわれます。

この種の報告は時や場所を変えても事欠きません。

2004年、世界的な医学専門誌「Archives of Internal Medicine」に、フランスの医師らがICU（集中治療室）で死亡した人たちの病理解剖結果に関する論文を発表。それによれば「生前診断の約30％は誤診だった」といいます。

気になるのは、こうした数字が記録として残るようになった1930年頃から現在に至るまで、それほど変化（改善）していないことです。これは同時期に、航空機の事故率が大幅に低下した事実とは対照的です。

同じ期間に「医療」でも「航空」でも技術が発達した点は同じですから、両者の違いは別のところにあるようです。航空業界ではパイロットの強い要望で航空会社が事故防止策に力を入れたのに対し、医療業界ではこれと同じインセンティブが働かなかったと見る向きがあります。

つまりパイロットが墜落事故を起こせば自分も死にますが、医師が誤診をしても自分が死ぬことはありません。それが航空事故率と誤診率の違いとして現れているというわけです。こんなことを言うと、医療関係者の激怒する様子が目に浮かびますが、医師も所詮は人の子ですから、そうした面も無きにしも非ずかもしれません。

実際、過去の調査から浮かび上がってきた誤診の理由には「（医師が患者に対して）本来必要な医学検査を怠った」「X線、MRI、CTスキャンなど画像診断の検査結果を読み誤った」「自らの初期診断に過大な自信を抱き、他の可能性に目を向けなかった（つまり致命的な思い込み）」などが主な要因として指摘されています。

このように自分が誰よりも正しいと思い込み、ときに必要な検査を怠ったり、他の意見に耳を貸そうとしないのは極めて人間的な過ちといえるでしょう。

では医師という人間の代わりに「AI」、つまりコンピュータに診断を任せてみてはどうでしょうか？　超高速プロセッサをフル稼働させる精緻なソフトウエアであれば、人間のように感情に左右されたり自信過剰から判断を誤ったりするような罠を避けて、ベストの診断をしてくれるかもしれません。

すでに医療分野へのＡＩ導入は始まっています。

米国では２０１８年8月、連邦政府の規制当局ＦＤＡ（食品医薬品局）が世界初と見られる医療用ＡＩ機器を認可しました。この製品は眼科クリニックなどで、糖尿病患者のかかりやすい眼疾患をＡＩが自動診断する装置です。

同様の技術は、囲碁ＡＩ「アルファ碁」の開発で有名な英ディープマインド（米アルファベット傘下）をはじめ世界中のＩＴ企業や大学などが、ここ数年、盛んに研究開発を続けてきました（詳細は後述）。

こうした医療用ＡＩはインドやアフリカのように、膨大な人口のわりには医師の数が足りない国や地域で「医療の新たな担い手」として期待されています。

また少子高齢化による労働力人口の減少が進む日本でも、特に医師不足が深刻な地方部で、医療用ＡＩの必要性は今後高まっていくでしょう。病院側から見ても、医師の超過勤務や過重労働などが問題視される中、その解決策として、これに勝る技術は当面見当たりません。それはまた高騰する医療コストの抑制・削減にも寄与すると見られています。

しかし多くの患者や医療関係者らの期待に添えるだけの実力を、現代のＡＩは果たして持ち合わせているのでしょうか？　実用化が迫ってきた医療用ＡＩの現状と、そこに見られる問題などを以下で詳しく見ていくことにしましょう。

ワトソンとは何か

現在、患者の病気を診断したり、その治療法を提案する医療用ＡＩの中で、世界的に最も有名なのはＩＢＭの「ワトソン」でしょう。

ワトソンはもともと、米ニューヨーク州にある「トーマス・Ｊ・ワトソン研究所」などＩＢＭの研究部門を中心に、２００７〜１１年にかけて開発されました。それは人間の言葉を理解して操るとともに、その能力を使って私たちからのさまざまな質問に答えることが可能とされます。いわゆる質疑応答用のコンピュータとして、この世に生まれたのです。

ＩＢＭはなぜこうした風変わりなコンピュータを作ろうとしたのでしょうか？

それは当時、米国で50年以上もテレビ放送されてきた人気クイズ番組「ジョパディ！」にワトソンを出演させ、そこで伝説的な2人の歴代チャンピオンと対戦させるためです。

もしも番組でワトソンが彼ら（人間の）クイズ王に勝つことができれば、ＩＢＭは長年の研究で培ってきた「自然言語処理」をはじめ、ＡＩ関連の技術力を世間にアピールできるというわけです。つまりワトソンはもともと商用ではなく、一種のデモ用に開発されたＡＩコンピュータでした。

「ジョパディ！」における人間チャンピオン対ワトソンの戦いは、２０１１年2月14〜16

写真１　人間のチャンピオンに圧勝した「ワトソン」（中央：AP／アフロ）

日、（前述の）トーマス・Ｊ・ワトソン研究所内の特設会場で繰り広げられましたが、終わってみればワトソンの圧勝でした。この対戦の様子は全米に生放送され、「自社の技術力を広くアピールする」というＩＢＭの狙い通りの結果となりました。

この勝利から間もなく、さまざまな企業から「ワトソンを自分たちのビジネスや業務に使えないか」という問い合わせや要望がＩＢＭに多数寄せられたといいます。

ここから約３年の歳月をかけて、同社はワトソンをビジネスに応用するための検証作業をいくつもの企業や大学と共に進めました。そして２０１４年１月、事業化のメドが立ったとして、ＩＢＭはワトソン事業部（別名はコグニティブ・コンピューティング事業部）を発足させました。

以来、ワトソンがカバーする業種は、「金融」「ヘルスケア」「メディア」「製造」など多岐にわたります。中でもスタート時から大きな期待を集め、今でも同事業部の中心に位置するのが「(医療を中心とする)ヘルスケア」です。これは「ワトソン・ヘルス」という商品名で提供されています。

ワトソン・ヘルス(以下、ワトソン)はその実用化の過程で、多数の医師による、一種の教育プロセス(カスタマイズ)を経て商品化されました。

中でもひときわ大きな期待を浴びたのが「がん医療」への応用です。

IBMは2012年から(ニューヨークにあるがん専門の医療・研究機関)メモリアル・スローン・ケタリング・キャンサー・センター(MSKCC)と提携。ここに勤務する研究医らがIBMの技術者と共同で、ワトソンを「各種がんの診断・治療」を行う医療用AIへと改造していきました。

この作業を完了したワトソンは、2015年頃から世界各国の病院へと試験的に投入され、少なくとも当初は周囲の期待にたがわぬ高い能力を示しました。

最初期にワトソンを導入した米ノースカロライナ大学・医学大学院では、各種がんの症例1000ケースをワトソンに入力したところ、その99%でワトソンが提示した治療法はがん専門医によるものと一致しました。そればかりか全体の30％では、ワトソンは医師が見落としていた別の治療法も発見したといいます。[*2]

日本では、さらに劇的な事例が報告されました。難病で死の危険にさらされた女性をワトソンが救ったというのです。[*3]

命を救われたのは、「骨髄異形成症候群」で東京大学病院に入院していた66歳の女性。この病気は血液がんの一種で、症状が進行すると骨髄性白血病に至ります。それまで彼女は複数の抗がん剤を投与されましたが、いずれも効果がなく、一時は死を覚悟したとされます。

そうした中、2015年7月に東大病院が臨床研究の一環としてワトソンを導入。この女性患者の「ゲノム（DNA配列）」はすでに検査で判明していたので、東大の研究チームはこのデータをワトソンに入力しました。すると10分程度でデータを解析し、医師らが想定していたのとは別の白血病を発症している可能性を提示しました。

この情報を参考に抗がん剤を変更したところ、てきめんに効果が表れ、女性の病状は急速に回復。それから約2ヵ月後に退院することができました。

ワトソンをインストールするのは容易ではない

以上のように、2015年頃から試験的に使われ始めたワトソンは当初、物珍しさも手伝って高い評価を受けるケースが目立ちました。しかし以後数年が経過した今、ワトソンは（それを本格的に使ってみた）医療関係者の間でどう見られているのでしょうか？

米メディアの報道によればワトソンは現在、米国、インド、韓国、台湾、スロバキアなど数多くの国・地域で使われています。２０１８年８月時点でワトソンを導入した病院の総数は約２３０、それが診断した患者の総数は８万４０００人に上ります。[*4]

ワトソンはインターネットを経由したクラウドサービスとして商品化されています。中でもがん医療用のワトソンは「Watson for Oncology」、ゲノム医療（注１）用のワトソンは「Watson for Genomics」など別々のサービス（製品）として提供されます。

ワトソンの使用料金は、そのサービスの種類や数に応じて、患者１人当たり（米ドル換算で）２００～１０００ドル（２万～10万円程度）と開きがあります。[*5] ワトソンを導入する病院では、主にがん医療やゲノム医療に使うケースが多いとされます。

ワトソンは、病院側がその導入を決めた時点で、すぐに使える状態にはなっていません。ワトソンを使用可能な状態にするためには、その準備段階として病院側のスタッフ、つまり医師やＩＴシステム担当者らが共同で（日本では「カルテ」と呼ばれる）多数の患者のメディカルレコード（医療記録）をワトソンに入力しておく必要があります。

これは病院関係者の予想以上に負担のかかる作業でした。病院に蓄積されている膨大な医療記録には、しばしば略語が使われていたり、異なる医師によって異なる表記スタイルが用いられていたり、ときには記載ミスなども含まれています。

これらを全部修正して、ワトソンが処理できる標準フォーマットに統一するだけでも大変な作業です。このため病院側では、導入したワトソンを医師が使える状態にするまで、長い時間を要することが多いのです。

(注1) 患者のDNA情報に基づく新型医療

ワトソンの原理的限界

このような作業を完了して、使用可能になったワトソンに対する医師の評価は複雑です。最初に断っておかねばならないのは、ワトソンの主な役割は医師のアシスタントであるということです。つまりワトソン自体が医師の代役になることは(少なくとも現時点では)あり得ません。

ワトソンは医師に、病気の診断や治療法に関する助言を提供すると同時に、その根拠となる過去の医学論文や、そこに至るまでの思考経路なども参考情報として提示します。これらの情報を基に、医師は患者の病名など最終的な診断を下すとともに、それに対する治療法を決めるのです。

ここで医師がワトソンの性能を評価する際、主な評価基準となるのが、ワトソンによる助言が医師自身による見立て（診断、治療法）と一致する割合です。これについては、（ワトソンを試験的に導入した）デンマークの某病院では、その一致率がわずか33％に留まったため、協議の末、ワトソンの正式導入を見送りました。つまり「ワトソンのアドバイスは信頼性に欠ける」と判断したのです。

逆に、他の病院ではワトソンの助言と医師の見立てが一致する割合が96％に達したケースもあります。しかし、このように一致率が高ければ、ワトソンに対する医師の評価も高いかというと、必ずしも、そうではありません。

なぜならワトソンが提示した診断結果や治療法が医師の見解と一致した場合、多くの医師は「そんなことは、お前から言われなくてもわかっている」という感情をワトソンに対して抱いてしまうからです。

逆にワトソンと医師の見立てが相反した場合、医師は「お前の言っていることは本当に正しいのか？　信用して大丈夫なのか？」という不信感をワトソンに抱いてしまいます。つまり、どっちに転んでもワトソンには分が悪いのです。

もっとも、ワトソンの提示した情報が医師の見立てと食い違っても、ワトソンが自らの正しさを立証するために、目から鱗が落ちるほど鮮やかな発想や思考プロセスを提示してくれれば、医師も納得できるかもしれません。そもそも病院がワトソンの導入を決めた主な理由は、このAIコンピュータが、医師という人間では到底敵(かな)わないほどの独創的な診断や治療法を提案してくれるのを期待してのことです。

ところがワトソンの原理上、それは不可能なのです。

なぜならワトソンが医師に提供する診断や治療法はもともと、医師（人間）がワトソンに入力したものであるからです。ワトソンをがん医療用に改造（教育）する際には、がん専門の医療研究機関である「MSKCC」の医師団が長い時間をかけて、「患者の症状が、かくかくしかじかの場合には、このような病気であり、（それに対しては）このような治療法を提示せよ」という教えを、大量にワトソンに入力していきました。

つまりワトソンの本質を比喩的に表現すれば、「MSKCCの医師団が丸ごと（ワトソンという）コンピュータに詰め込まれたもの」と言うことができます。ワトソンが提示する診断や治療法はもともと、彼ら医師（人間）によるものである以上、それが人間を超える独創的なアイディアや思考プロセスを提示することはあり得ません。

実は、この種の限界は1970～80年代の「第2次AIブーム（AIバブル）」が弾けて、周囲の期待が失望へと転じた頃、すでに指摘されていました。当時のAIは「ルールベースのＡＩ」、中でも「エキスパート・システム」と呼ばれる方式が主流でした。

この種のＡＩは、医師のような各界エキスパート（専門家）の知識やノウハウを（当時、流行した「リスプ」や「プロローグ」など）論理型プログラミング言語でルール化してコンピュータに移植すれば、このコンピュータ（ＡＩ）が専門家に代わって仕事をやってくれる、という基本思想に基づいて開発されました。

これは現在のワトソンと共通するところがあります。

もちろんワトソンが今から40年以上も前のエキスパート・システムと全く同じものであるとは言えませんが、ゆうに半世紀以上に及ぶＡＩ研究の成果を蓄積してきたＩＢＭが、一種古典的なＡＩ方式に改良を施して現代に蘇らせたことは十分考えられます。後述するように、その節（ふし）は随所に見られるのです。

分かれる評価

以上のような（がん医療用）ワトソンに対する評価は国や地域によって異なりますが、米メディアの報道によれば米国での評価はいま一つのようです。

フロリダ州の先端医療病院「ジュピター医療センター」で、73歳の肺がん患者に対しワトソンは「化学療法が妥当」とのアドバイスを提示しましたが、これはすでに同病院の医師も考えていたことなので、例によって「まあ、こんなところか」という冷めた評価しか貰えませんでした。

とはいえ、ワトソンはそうした治療法を提示するに至った理由として、これを裏付ける医学専門誌の論文なども提示してくれます。このため医師は自分の治療法に自信が持てると同時に、その治療法に関する追加情報などが得られる場合もあります。この点でワトソンは、米国の医療関係者から相応の評価を受けています。

ここに見られるように、ワトソンにはMSKCCの医師たちが入力した診断・治療法とともに、(ワトソンをがん医療用にカスタマイズした初期段階で)42種類にわたるがん専門誌から約200万ページもの医学論文が入力されています。

ワトソンは医師にアドバイスを提供する際、これらの医学文献を検索し、実際の患者の症状に関係すると見られる情報を医師に示すのです。医師という人間の記憶力には限界がありますが、桁違いの記憶容量と高速プロセッサを併せ持つワトソンなら、人間ではカバーしきれないほど大量の医学情報を蓄積し、必要に応じて、すぐに検索できるというわけです。

しかし、ここには大きな問題、あるいは課題が存在します。それは「これらの医学情報は常時更新されなければならない」ということです。

世界中の大学や医療機関などでは激しい研究競争が昼夜繰り広げられており、がんに関する医学論文だけでも年間20万本以上が発表されます。従ってワトソンの記憶装置に蓄積されている学術誌の論文・記事など医学情報も、これら最新の研究成果を常に反映して更新しなければ、すぐに時代遅れになってしまうのです。

これは単に医学論文に限った話ではなく、ＭＳＫＣＣの医師団が当初ワトソンに入力した診断・治療法についても同じことがいえます。「転移性の肺がん」等に関する治療ガイドラインは、がんに関する国際学会で何らかの研究成果が発表されてから、わずか１週間後に変更されることもあります。このようにめまぐるしく変わる情報を、（ワトソンの運用担当者らが）更新し続けるのは容易なことではありません。

このため特に米国のような医療先進国では、「ワトソンが提供する治療法や医学情報は最新とは言いがたい」と失望する医師が少なくないのです。

実は、この問題も１９７０～８０年代のルールベースＡＩ、つまりエキスパート・システムが廃れた主な要因の一つとして指摘されていました。当時も、各界専門家のノウハウなどを蓄積した「データベース（ＡＩが従うべきルール集）」を常時更新する必要に迫られ、そのために「知識エンジニア」と呼ばれるエキスパート・システム専門要員を（同システムを導入した）企業各社に常駐させる必要がありました。

ところが、そのための人件費が莫大な金額に膨らんでしまったため、「こんなことなら、

ＡＩで専門家を代替するより、いっそ本物の専門家（人間）を雇ったほうが安上がりだ」という認識が顧客企業をはじめ産業界全体に広がりました。これがエキスパート・システム衰退の大きな一因となり、その後の「ＡＩの冬」と呼ばれる停滞期を招くことにつながったのです。現在のワトソンも本質的には、当時のＡＩと同様の問題を抱えているようです。

ワトソンに見られる偏向

こうした米国とは対照的に、ワトソンが非常に高い評価を受けているのは、アジア圏を中心に医療に関して比較的、開発途上にある国々です。

具体的にはインド、あるいは（後述するタイなど一部例外を除く）東南アジア諸国の病院に勤務する医師らは、「ワトソンのお蔭で時間を節約し、より多くの患者に質の高い医療サービスを提供できるようになった」と口を揃えます。

中でも中央アジアに位置するモンゴルのケースは際立っています。その首都、ウランバートルにある韓国系の総合病院「UB Songdo Hospital」に導入された（がん治療用）ワトソンは、医師たちの間で引っ張りだこです。

なぜなら同病院にはがん専門医が一人もいないからです。ワトソンが導入されるまで、一般医療に従事する医師らががん患者に対応していました。彼らはがんに関する専門知識を全く持たないか、あるいは極めて限られた知識しか有していません。

このためワトソンを導入して以降、同病院の医師らはワトソンのアドバイスにほぼ100％従っています。[*6] 前述のようにワトソンには、「ＭＳＫＣＣ」という世界でも屈指のがん研究機関による診断・治療法や専門知識が詰め込まれています。従って、同病院でがん患者に接する医師らにしてみれば、（がんについては、ほぼ素人ともいえる）自分の見立てに従うよりはワトソンのアドバイスに従うほうが、よほど安全で確かな診療ができるというわけです。

他方、同じアジア圏でも、韓国や台湾、あるいはタイなど医療水準の比較的高い国・地域では、ワトソンに対して複雑な受け止め方をしています。なぜならワトソンはＭＳＫＣなど米国の研究機関によって医療用にカスタマイズされたため、それが提示する診断・治療法などは、どうしても米国の患者向けにバイアス（偏向）がかかってしまうからです。

ごく単純なケースでは、患者の体格の違いが挙げられるでしょう。

白人やアフリカ系の人たちが多く住む米国では、患者の体格は平均してアジア圏の患者よりも大きくなります。このため同じ薬を投与する場合でも、（ワトソンの助言に従って）米国人に対する投与量をそのままアジア圏の患者にも適用すると、過剰投与に陥る危険性があります。

こうした問題を未然に回避するには、アジア圏の病院の医師らが「薬の投与量」をはじめワトソンの提示する治療法を、アジア人の患者に向けて「ローカライズ（現地化）」する必要に迫られます。

実際、タイの首都バンコクにある総合病院「Bumrungrad International Hospital」では、一旦導入したワトソンを（同じアジア圏に属する）日本の医療ガイドラインなどを参考にローカライズしました。

ところが、せっかくこのように再調整したワトソンを同病院の医師らは、それほど使っていません。その主な理由は、医師らがワトソンをローカライズする過程で、日頃自分たちが地元患者を診断・治療する際のノウハウや医学知識をワトソンに入力していったことにあります。

この結果、生まれ変わったワトソンには、彼らタイ人医師による診断・治療情報が詰め込まれています。彼らが患者を診療する際にワトソンを使っても、彼ら自身があらかじめ入力した情報が返ってくるだけです。これでは確かに使う意味があまり感じられません。

医療現場のヒエラルキーを解消できるか？

以上のように、本格導入から数年を経たワトソンに対する、世界の医療関係者の見方は総じて辛口です。しかし今後の可能性まで含めると、これを高く評価する専門家も少なくありません。彼らはワトソンに代表される医療用ＡＩが「科学的エビデンス（証拠）に基づく新たな医療を実現し、これまでのヒエラルキー（階級）的な医療現場を改革できる」と期待を寄せます。

韓国の大学病院「Gachon University Gil Medical Center」でワトソンを利用する医師は、その可能性を次のように説明します。

これまでの病院に見られる階級的な医療現場では、常に年長で地位の高い医師の意見が、若くて地位の低い医師の意見よりも優先される傾向がありました。しかし今後は若手の医師でも、ワトソンを使って最新の医療情報を入手し、それを会議等で示すことで「こちらの治療法のほうが患者を助けるためには効果的です」と説得できます。

そのように科学的な根拠を示されれば、上司に当たる医師も自分の意見をゴリ押しできないだろうと言うのです。実際は上司も人の子ですから、メンツや感情面から、そう素直に従うとは思えませんが、一理あることは間違いありません。

またインドの総合病院チェーン「Manipal Hospitals」の医師によれば、大腸がんと乳がんの入院患者に対し、ワトソンはわずか数秒で最適な治療法を提示することができました。これらの情報は通常、同病院に勤務する20人のがん専門医が、約1週間に及ぶ会議を経て導き出す結論であるといいます。
現在のワトソンには「医学情報を常に更新する必要性」や「情報のバイアス」など課題が少なくありませんが、これらが解決された暁には、ＡＩによる医療現場の民主化や効率化など大きなメリットが期待されます。

ニューラルネットの医療応用

医療用ＡＩの動向において、(ワトソンと並ぶ)もう一つの大きなトレンドは「ニューラルネット」です。
ニューラルネットは１９５０年代に米国を中心に研究開発が始まったＡＩの一種で、私たち人間や動物の脳を構成する無数の「ニューロン(神経細胞)」と「シナプス(接合部)」など、脳の基本的なしくみを参考に発案されました。
その後、実用的には長期にわたって目立った成果は見られませんでしたが、２００６年頃から「ディープ・ニューラルネット」あるいは「ディープラーニング(深層学習)」などと呼ばれるようになって以降、画像認識や音声認識をはじめ各方面で長足の進歩を遂げ、一大ブームを巻き起こしました。[*7]
この分野をリードするのが、２０１０年に英国で起業し、その後グーグル(アルファベット）に買収されて、その傘下に入ったディープマインドです。ディープマインドは囲碁用のＡＩ「アルファ碁」を開発し、これが２０１６～１７年にかけて韓国や中国のトップ棋士を次々と破ったことで世界的に知られるようになりました。

この技術開発と半ば並行する形で、同社はアルファ碁の基盤技術であるディープラーニングを医療分野へと応用する研究を進めました（この過程でディープマインドの「ヘルスケア・チーム」は、医療ビジネスを手掛ける「グーグル・ヘルス」という事業部門に組み込まれました）。

一般にディープラーニングが得意とするのは、「パターン認識」と呼ばれる作業です。パターン認識とは、現代社会に溢れる大量データ、いわゆる「ビッグデータ」を解析し、ここから何らかのパターン（規則性や法則性など）を見出す作業です。

パターン認識の一例は画像解析（画像認識）です。

ごく身近な例で説明すれば、フェイスブックに時々刻々とアップロードされる写真のような画像をコンピュータ、つまりＡＩが自動解析し、その画像に何が写っているかを識別する作業が画像解析です。そのためにフェイスブックもディープラーニングを採用しています。

ディープラーニングが持つ、このパターン認識能力を医療に使うとすれば、その端的な応用事例は「画像診断」でしょう。

これまでの画像診断は、患者の患部を撮影したX線写真、あるいはMRIやCTスキャンなど断層画像を専門医が目視して、さまざまな病気を診断する作業でした。ここにディープラーニングを導入すれば、こうした画像診断が自動化できると考えられています。

実際、医療分野への進出を図るディープマインドが真っ先に手掛けたのも、画像診断にディープラーニングを応用することでした。2016年、同社は英国やインドにある複数の病院と提携し、「糖尿病網膜症」をディープラーニングで画像診断する医療システムの開発に着手しました。[*8]

この病気は糖尿病患者の約3分の1が発症する眼疾患で、早期に見つければ治療で進行を抑えることができますが、診断が遅れると失明に至る深刻な病です。

特にインドでは近年の急速な経済成長に伴い、栄養過多による糖尿病の患者が急増しており、その数は現時点で少なくとも6000万人に上ると見られています。しかし眼科クリニックやそこで働く医師の数が不足しているため、糖尿病網膜症の診断が遅れて失明する患者が多いのです。

そこでディープマインドはこうした進行性の眼疾患を医師、つまり人間に代わってディープラーニングのようなAIに診断させることで、インドの医師不足に対処しようというわけです。このために同社は2016年、提携する英国の病院から全部で約12万8000

枚もの網膜画像を取り寄せました。

ここでいう網膜画像とは、眼科医が「光干渉断層計（ＯＣＴ）」など専用装置を使って、（眼疾患の）患者の眼底を撮影することで得られる「網膜の断層画像」のことです。英国の病院には、長年の眼底診断から大量の網膜画像が蓄積されています。

ニューラルネットはどのように学習するか

これらの網膜画像は、ディープラーニングの「トレーニングセット」として使われます。ディープラーニングとは、ディープ（多層）なニューラルネットを使った機械学習の一種です。そこではニューラルネットに大量のデータ（ビッグデータ）を入力し、これを消化（学習）させることで、ニューラルネットがある種のパターンを認識できるようになります。この学習用データがトレーニングセットです。

（第１章でも紹介したように）一般にニューラルネットによる機械学習には「教師有り学習」と「教師無し学習」をはじめ何種類かありますが、教師有り学習に使われるトレーニングセットでは、あらかじめ「ラベル付け」と呼ばれる作業が必要になります。

これは、ある分野における専門家がＡＩに対する一種の教師役となって、（機械学習の準備として）トレーニングセットを構成する大量のデータに「これはＡ」「これはＢ」「これ

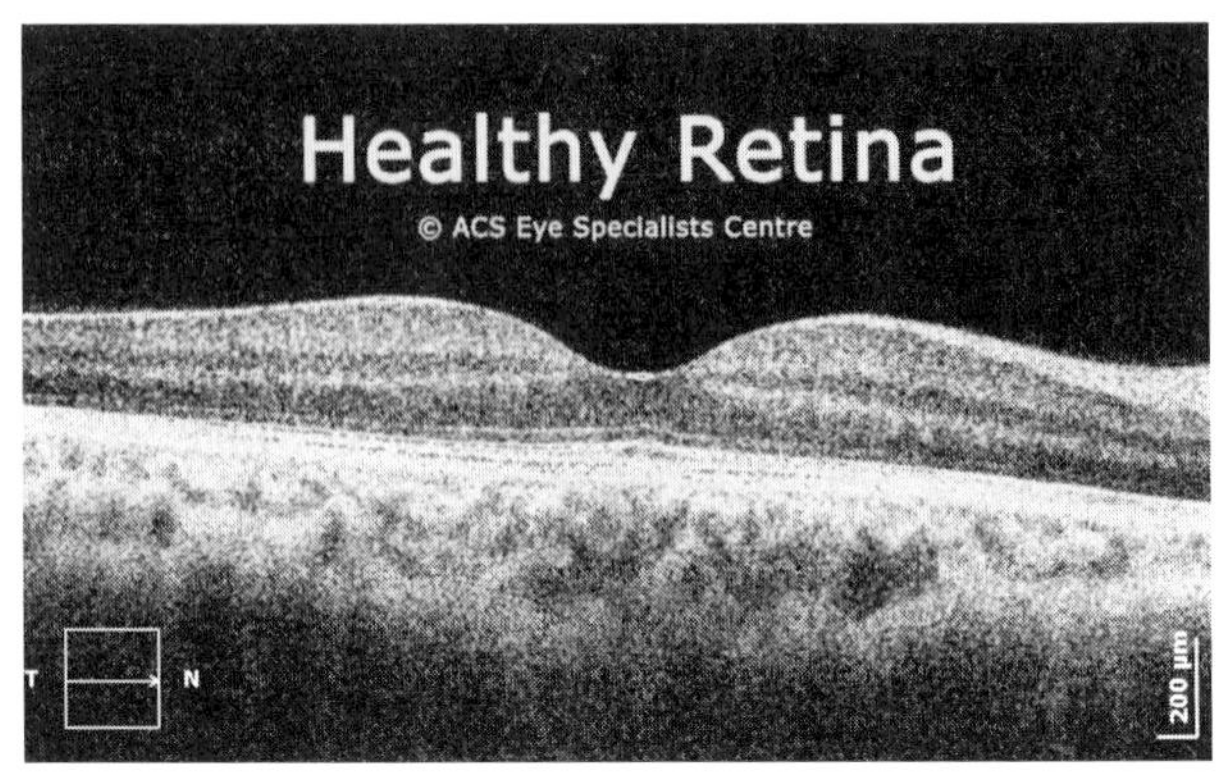

図1　OCT（光干渉断層計）で撮影した、健康な目の網膜画像（断層画像）
出典：http://eyespecialist.name/english_OCT.html

は C」……といった形でラベルを付けていく作業です。

ディープマインドが開発する医療用ニューラルネットも「教師有り学習」を採用しているため、トレーニングセットのラベル付け作業が必要となります。このための教師役に選ばれたのが3人の眼科医でした。彼らが12万8000枚の網膜画像をいちいち目視で診断して、「これは加齢黄斑変性」「これは糖尿病網膜症」「これは健康な目」……といった形で、個々の網膜画像（データ）にラベル付けしていきました。

このようにして用意された大量の（ラベル付き）網膜画像が、この医療用ニューラルネットのトレーニングセット（学習用データ）となります。これら大量の網膜画像には、各々の病気に固有の「特徴量（features）」が存在します。

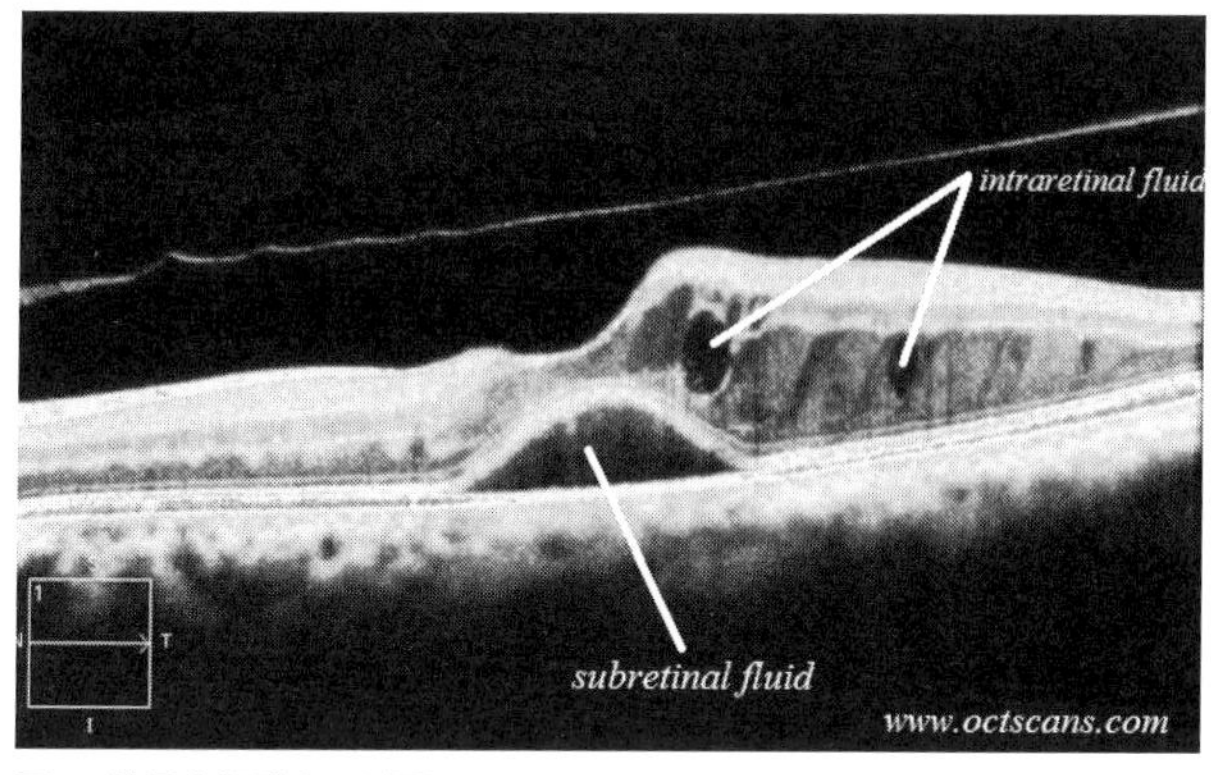

図2　糖尿病網膜症の断層画像

出典：https://www.octscans.com/diabetic-retinopathy.html

たとえば「健康な目」の網膜（図1）は滑らかなカーブを描いているのに対し、「糖尿病網膜症」（図2）では網膜表面の「不自然な段差」や網膜内部の「黒い影」などが見て取れます。これらが断層画像上の特徴量となるのです。

トレーニングセットとして入力された大量の網膜画像（断層画像）を次から次へと解析することによって、このニューラルネットは糖尿病網膜症ならではの特徴量を徐々に学習していきます。この学習を完了したニューラルネットは、次からはラベル付けされていない網膜画像を入力されても、「これは糖尿病網膜症」などと判定できるようになるのです。

以上のプロセスがディープ・ニューラルネットによる機械学習、つまりディープラーニング（深層学習）です。このような機械学習を経て、ディープマインドが開発した医療用ＡＩは、いよいよ実際の患者（の網膜画像）を診断できるようになるのです。

それに先立ち、同社が約1万2000枚の（ラベル付けされていない）網膜画像から成るテストセット（注2）を入力したところ、全体の90％以上で経験豊富な眼科医と同等、あるいは彼らを凌ぐ高い精度で糖尿病網膜症を診断することに成功しました。

このＡＩが実用化された暁には、眼科クリニックや専門医の存在しない辺地でも、多数の糖尿病患者が診断を受けることができるようになると期待されています。

（注2）システムの性能を評価するためのテスト用データ

「学び」とは何なのか？

ここまでお読みになって、ワトソンとディープラーニングの共通性に気づいた方も多いかもしれません。なぜなら両方のＡＩとも、医師のような人間から一種の教育を受けているという点では同じだからです。

（前述のように）ワトソンでは、がん専門の医療研究機関などの医師団が長い時間をかけて「患者の症状が、かくかくしかじかの場合には、このような病気であり、（それに対しては）

このような治療法を提示せよ」という明示的なルールを大量に教え込んでいきました。

一方、ディープラーニングでは、たとえば3人の眼科医があらかじめ大量の網膜画像をいちいち目視で診断して、「これは病気A」「これは病気B」……等のように、個々の網膜画像にラベル付けしたトレーニングセットをシステムに入力。ここからシステムが各病気を示す何らかの特徴量を統計的に学び取ることで、病気の診断を行えるようになりました。

このように「人から何かを学んで一人前の医療用AIに成長する」という点において、ワトソンとディープラーニングは基本的に同じと見ることもできます。

しかし実は両者の間には「学びの種類」という点において本質的な違いがあります。以下、やや専門的で難解な表現になって恐縮ですが、ワトソンが人（医師）から学んでいるのは「宣言的知識（declaretive knowledgeまたはknowing-that）」と呼ばれるものであるのに対し、ディープラーニングが人から学んでいるのは「手続き的知識（procedural knowledgeまたはknowing-how）」と呼ばれるものです。

両者の違いを理解するには、身近な実例を引いてみるのが一番です。たとえば幼い子どもが初めて自転車に乗ろうとしているケースを考えてみましょう。

この子どもはおそらくあらかじめ親から教わる、あるいは誰かが自転車に乗っている様子を眺めるなどして、「自転車には2つの車輪が取り付けられていて、その間に置かれたサドルに腰かけて、その真下に設置された2つのペダルを両足で交互に踏み込めば、これに乗ることができる（はずだ）」ということを知っています。

このような知識が「宣言的知識」ですが、これを得ただけでは自転車に乗ることはできません。

むしろ頭の中でそんな理屈をこねているよりも、実際に自分で自転車に乗ってペダルを踏んでみるのが一番です。そのような練習でバランスを取ろうとしながらも、最初のうちはそれができずに何度も転んで、かすり傷や痣（あざ）をあちこちに負いながら、ようやく自転車に乗るためのスキルを体得します。

このようなスキルが「手続き的知識」に該当します。

認知心理学の分野において、こうした違いに最初に言及したのは、英国のギルバート・ライルという哲学者が1949年に著した『心の概念（The Concept of Mind）』（みすず書房 1987年）と見られています。

前述の「自転車に乗ろうとする子ども」との対比から、医師団がワトソンに教え込んだ「かくかくしかじかの場合には、このような病気」というルールは宣言的知識、ディープラーニングが大量のラベル付き画像から統計的に学び取ったものは手続き的知識であることが見て取れるでしょう。

特に後者の知識は、従来、眼科医らが大量の断層写真を目視診断する過程で半ば経験的に養った「暗黙知」に該当し、これは言葉で明示的に説明するのが難しい知識でもあります。近年のディープラーニングの発達によって、そうした暗黙知までも実装できるようになったことが、過去と比べて現在の医療用ＡＩが進歩したことを示す最大の特徴です。

ただ正確を期すために断っておきますと、現在のワトソンにもディープラーニング技術は搭載されています。

元々、ワトソンはＩＢＭがクイズ番組「ジョパディ！」で勝つために、あらゆるＡＩ関連の技術を注ぎ込んだ折衷型の人工知能から出発しています。その中にニューラルネット技術も含まれていることは言うまでもありません。

また、その後、ワトソンの商用化が進められる過程で、ＩＢＭはＡＩ分野のベンチャー企業を買収し、その技術を導入することによって、ワトソンのディープラーニング機能を強化しています。

ですから厳密には「ワトソン」対「ディープラーニング」という構図で捉えることはできないのですが、ワトソンの最も大きなベースとなっているのは古典的ＡＩ「エキスパート・システム」であり、これが一種の宣言的知識に基づくＡＩであることは間違いないと筆者は見ています。

多方面に応用可能

さてニューラルネット（ディープラーニング）は、X線写真やMRI、CTスキャンなど、より適用範囲の広い画像診断にも応用できます。

ディープマインドは前述の眼底診断システムに加え、CTスキャンの断層映像を解析して「肺がん」を自動診断するニューラルネットを開発。同システムは6716枚のテスト用画像に対し、放射線科医を凌ぐ94％の精度（正答率）でこの病気を診断することに成功しました。[*9]

同社はまた、ある人が発症しそうな病気を予知・予防するためのニューラルネットも研究中です。このシステムでは、電子カルテ等に記載されている「身長」「体重」「血液・尿検査の結果」をはじめとするヘルスケアデータをディープラーニングで分析し、さまざまな病気の発症確率を弾き出します。

2019年7月には、その最新成果を英国の科学専門誌ネイチャーに発表。[*10] 早急に救命措置を施さないと死に至る「急性腎障害（AKI）」を、発症の48時間前に予測するシステムを開発したと報告しました。ただし実際にこの病気を発症した事例の約半数を見逃す（一般に「偽陰性」と呼ばれる誤診）など、同システムの予測精度は未だ不十分です。

さらに2020年1月には、米英の医療機関などと共同で、乳がんの画像診断を自動化するニューラルネットを開発したとネイチャーに発表しました。

毎年、全世界で約200万人が乳がんを発症し、50万人以上が死亡しているといわれます。死因の一つは画像診断の誤診ですが、ディープマインドらが開発した画像診断システムは「マンモグラム」と呼ばれる乳房のX線写真をトレーニングセットにして機械学習し、「擬陽性」や「偽陰性」などの誤診率を、人間の医師を下回るレベルまで下げることに成功しました。

これと同様のシステムは、独ベルリンに本社を構える医療ベンチャー「MXヘルスケア」も開発。このニューラルネットは約100万枚のマンモグラムを機械学習することで性能を磨きました。この枚数はトレーニングセットの規模としては史上最大と見られています。

一方、中国の広州医科大学と米カリフォルニア大学サンディエゴ校などの共同チームは、中国の小児科病院を訪れた約60万人の患者データをトレーニングセットにして、喘息や消化器疾患などを自動診断するニューラルネットを構築。同システムは小児科医に匹敵する90％の精度でこれらの病気を診断できるとされます。

ただし、これらのシステムはいずれも研究開発の段階にあり、実用化までには今しばらくの時間がかかりそうです。そこに立ち塞がるいくつかの課題を以下、見ていくことにしましょう。

実用化に際しての課題

ディープマインドは2019年1月、開発が一段落した(前述の)眼底診断用ニューラルネットを「ARDA(Automated Retinal Disease Assessment：網膜症の自動診断)」と命名して公開。これによる臨床研究の結果を米ウォール・ストリート・ジャーナル紙が報じました。[*11]

それによれば、確かにARDAは(前述のテスト・セットを使った)研究室における性能評価では、本物の眼科医に勝るとも劣らない診断能力を示しました。ところが(利用地域として想定されている)インド国内の貧困地域にある医療現場では使い物にならなかったといいます。

その原因は画質の違いにあります。

ディープマインドが当該ニューラルネットのトレーニングセット、つまり学習用データとして使った12万8000枚の網膜画像は、比較的新しい検査装置(OCT)によって撮影された高画質の断層映像でした。

これに対しインドの貧困地域にあるクリニックや病院等で撮影された網膜画像は、旧式の検査装置による低画質の映像でした。ディープマインドの眼底診断システムはこれら低画質のデータを全く受け付けなかったため、こうした貧困地域ではAIシステムの性能評価以前に、そもそも、それによる画像診断ができなかったのです。

今後の実用化に際しては、このように思わぬ障害が立ち塞がることが予想されます。シンプルで理想的な開発環境と、それとは掛け離れた医療現場との間にある複雑な溝を埋めていくことが、医療用ＡＩの普及に向けた大きな課題となります。

それはインドのような途上国に限った話ではありません。

こうした自動診断システムが、いずれ日本や欧米をはじめ各国の規制当局から認可されクリニック等で使われるとすれば、使用を重ねるうちに、医療現場の臨床データに対する機械学習によって性能が変化（基本的には向上）していきます。しかし性能が変化する度に、規制当局から改めて認可を得るなど面倒な手続きが要求される恐れがあります。

こうした制度上の問題を解決するとともに、医療関係者の理解を得ることも必要でしょう。彼らの多くは医学や生物学に関する専門家ですが、ＡＩに関してはおおむね素人なので、その機能や効用を理解してもらうことが普及への大前提となります。

プライバシー漏洩の懸念

これらの課題と並んで、患者のプライバシーに関する懸念も指摘されています。

ディープラーニングが画像診断や病気の予知・予防を行うためには、前述のように「トレーニングセット」と呼ばれる大量のデータをシステムに入力して、これを機械学習させる必要があります。

このためディープマインドは２０１６年に英国の「国民健康保険サービス（ＮＨＳ）」と提携し、ロンドン市内にある３つの国立総合病院から、約１６０万人の患者に関する広範囲のメディカルレコード（医療データ）を取得・利用する契約を交わしました。これを医療用ＡＩ、つまりディープラーニングのトレーニングセットとして使おうというわけです。

ところが、これら大量の医療データの中には、病院を訪れた受診者らの「ＨＩＶポジティブ」「薬物過剰摂取」、そして「中絶」に関する情報など、極めて扱いが微妙な個人情報が含まれていたため、ディープマインドと親会社のグーグル（アルファベット）は英米の主要メディアから手厳しい非難を浴びました。

これに対しディープマインド（グーグル）は「我々が病院から取得した医療データは匿名化されており、個人の身元が判明することはない」と理解を求めましたが、これまで（Googleストリートビューなど）プライバシー関連の摩擦を引き起こすことが多かったグーグルだけに、こうした弁明は信用してもらえませんでした。

また最近のフェイスブックによる大量の個人情報流出に見られるように、彼ら巨大ＩＴ企業が個人データを適切に管理する保証はありません。特にディープマインドのケースでは、ひときわ慎重な扱いを要するヘルスケアデータであるだけに物議を醸すのもやむを得ません。

すでに米国では訴訟へと発展しています。

ディープマインド（グーグル）はシカゴ大学・医療センターとも共同してさまざまな病気の発症予測システムを開発中ですが、同大から提供された多数の患者データ（医療データ）の管理に不備があるとして患者から集団訴訟を起こされたのです。*12

英NHSのケースと同じくグーグルは「これらの患者データは匿名化されているためプライバシーが漏洩する危険性はない」と主張しますが、集団訴訟を担当した弁護士は「たとえ患者の氏名がデータから消去されていても、入退院日などの記録は残されている。これとグーグル・マップに蓄えられているスマホの位置情報を照合させればユーザーは特定できる」と主張します。

これら問題の根本は、研究目的であれば患者本人の了承を得ることなく（グーグルのような）企業や大学が患者データを利用できることにあります。英米の現行法では、それが許されますが、「今後は法律を改正して、あらかじめ患者から了承を得たデータに限って利用が許されるようにすべきだ」との意見も聞かれます。

人にあってＡＩにないもの

さらに医療用ニューラルネットは「説明責任を果たせない」という深刻な問題を抱えています。

現在のディープラーニングはそのしくみがあまりにも複雑化して、内部の動きを外部から推し量ることができなくなってしまいました。つまり一種のブラックボックス化してしまったため、この種のＡＩは何らかの答えを返してくるにせよ、それに至った理由を私たち人間が理解できるような形で説明できないのです。

この問題については、ニューラルネットの世界的権威であるジェフリー・ヒントン氏（トロント大学名誉教授、グーグル・フェロー）も「（ディープラーニングが）何をどのようにして知ったのかを（人間が）突き止めるのは容易ではない」と認めています。[*13]

これはニューラルネットが今後、医療現場で普及していく上で最大のネックになっていきます。仮にＡＩが何らかの診断結果や治療法を提示したとしても、そこに至った理由や経緯を説明できなければ、患者やその家族の理解を得られないからです。

ただＡＩの肩を持つわけではありませんが、「自分が出した答えの理由を他人に説明するのが難しい」というのは、何もディープラーニングに限った話ではありません。私たち人間でも、その点は同じです。

仮に今、あなたの仕事机の上にマグカップが置いてあるとしましょう。あなたは直観的にそれを認識しますが、なぜそれがマグカップと断定できるのか、その理由を言葉で説明するのは意外に難しいことに気づくでしょう。

患部画像を見ながら病気の診断をする放射線科医にしても、患者から「なぜその病気であると判定したのか？　その理由を説明してくれ」と聞かれたら、答えに窮することもあるはずです。

もちろん肥大した悪性腫瘍などは容易に診断できますが、逆に非常に微妙な判断を迫られるケースもあるでしょう。その場合も医師は何らかの判定を下さねばなりませんが、言葉で「ここがこうなっているから、こうなのだ」と患者に説明するのは難しいはずです。それは過去に無数の患部画像を見てきた経験に基づいて、半ば直観的に診断しているからです。これはまさしく（前述の）「手続き的知識」、あるいは「暗黙知」に該当するでしょう。

その点では医師（人間）の頭の中もブラックボックスといえるわけですから、一概にＡＩだけを責めるのは不公平でしょう。

そうした中であえて医師と（医療用）ＡＩとの違いを指摘するなら、それは恐らく病気の原因を突き止めようとする強い意志、そしてコミュニケーション能力の有無です。

クリニックの医師と、そこを訪れた患者のやり取りを想像してみましょう。

患者の体温や血圧を測定し、必要とあれば他の検査も行うとともに、医師はさまざまな質問を患者に投げかけ、その答えを吟味しながら、症状を引き起こした真の原因を推定していきます。

これは医師と患者の共同作業であり、技術的には医師の「暗黙知（手続き的知識）」を言葉で説明できる「宣言的知識」へと転換させる作業と見ることもできるでしょう（蛇足かもしれませんが、これは恐らくプロのスポーツ選手が現役を引退してコーチに転身しようとする際にも必要となるでしょう）。こうした共同作業の過程で無意識のうちに築かれた両者の信頼関係によって、患者は医師の診断を受け入れることができるのではないでしょうか。

これに対しＡＩは患者の医療データを解析して、コンピュータ画面に診断結果を表示するだけです。患者とのコミュニケーションは一切ありません。これでは「ＡＩの答えを信頼してくれ」と言われた患者も当惑するでしょう。

今後、ＡＩは医師のアシスタントとして、その誤診率を下げることには大いに役立つでしょう。しかし、それはあくまでＭＲＩやＣＴスキャンのような検査技術の一種に過ぎません。便利なＡＩに過度に依存するあまり、その陰に隠れた本当の病因を追究する心を失わないよう、医師は自らを戒める必要が出てくるでしょう。

第5章　私たちの生産性や創造性はどう引き出されるのか

――グーグルとアマゾンの働き方改革

アマゾン「再教育プログラム」裏事情

米アマゾンは2019年7月、従業員の再教育（訓練）に今後6年間で7億ドル（700億円以上）を費やすと発表し、大きな注目を浴びました。[*1]

その対象となるのは、商品配送センター（倉庫）の作業員からオフィスワーカーまで広範囲にわたる約10万人の従業員。この数は従業員全体のほぼ3分の1に当たります。

同社と前後して通信業者のAT&T、小売業者のウォルマート、JPモルガン・チェース銀行、そしてコンサルティング会社アクセンチュアなど、産業各界を代表する大手企業が同様の再教育プログラムを開始しました。

これら企業の経営陣は次のような認識で一致しています――「AIや知的ロボットで各種業務が自動化されたり、その内容や性質が大きく変化する中、労働者はそれに対応して、より高度のスキルを身につけない限り仕事がなくなってしまう」。

もちろん経営側にしてみれば、そうした時代遅れの社員は解雇して、あらかじめAI関連の高度スキルを身につけた人材を外部から採用する選択肢もあります。しかし、それは社内のモラールを低下させ、従業員の離職率を高める危険性をはらんでいます。

むしろ既存の従業員を再教育して、新たな時代に適応させるほうが総合的コストは抑えられる——アマゾンをはじめ米企業の経営者はそう考えているようです。

ただし彼らの取り組みが必ずしも成功する保証はありません。労働者が再教育を受けたからといって、そこで身につけたスキルが実際の職場で通用するとは限らないからです。

これら企業に先駆け、すでに米国政府はＡＩ時代の到来を見越して、国内労働者に再教育の機会を提供してきました。が、そこでは工場や炭鉱で働く肉体労働者にあえてコンピュータプログラミングを学ばせるなど無理が目立ち、成果はほとんど上がっていません。

これに対しアマゾンが発表した再教育プログラムでは、配送センターの作業員をソフトウエア技術者に転身させるような無理強いはしません。むしろ、これまでと同じ職域の中で、よりレベルの高い職種へとキャリア・アップさせることを目指します。

たとえばエントリーレベル（新入り）のプログラマーをいずれはデータサイエンティストに育成する、あるいは配送センターの作業員を（商品のコンテナを積み上げるなど比較的複雑な作業をこなす）作業用ロボットのオペレーターにする——このようなことこそ、アマゾンの再教育プログラムが目指すところです。

そのカリキュラムには「機械学習」など大学院レベルの受講科目も含まれています。

アマゾン社員の中には、かつて大学教員として、こうした高度な学科を教えたことのあるエンジニア、研究者も少なくありません。彼らが、今度は自分たちの同僚を教えることになるので、あえてお金を払って外部の専門家を教師として招聘する必要はありません。このため大学院レベルの高度な科目も、おおむね無料で社員に提供されます。

他方、アマゾンの再教育プログラムには「看護」や「航空機械工」のように、今、米国内で需要の高い職種に向けた職業訓練も数多く含まれます。改めて断るまでもなく、アマゾン社内にはこれらの職種は存在しません。ということは、これらの科目をあえて履修する社員はいずれ同社を辞めて別の職業に就く可能性もありますが、アマゾンは「再教育を受けた社員が会社に残ることを義務付けない」と公式に表明しています。

こうしたリベラルな方針は、アマゾンの企業イメージを高める効果が期待されます。つまり巧みなPR戦略ですが、逆にいえば、それを必要とする状況に同社は追い込まれていました。

アマゾンは以前から従業員を取り巻く過酷な労働環境が社会的な批判を浴びてきました。2011年にはペンシルベニア州東部にある同社の配送センターが非難の矢面に立たされました。摂氏40度という酷暑の中、冷房設備のない倉庫で従業員が延々と作業し、彼らが倒れたときに備えて表では救急車が待機しているという事実が地元紙によって報じられたのです。

最近では民主党の次期大統領候補を目指すバーニー・サンダース氏も、政治集会でアマゾンの労働実態を槍玉にあげるなど再び注目度が高まってきたため、アマゾンは傷ついた企業イメージの回復が急務となっていたのです。

人間の従業員をロボット化する

しかし同社の商品配送センターは、本当に政治問題化する程の酷い労働条件を従業員に押し付けているのでしょうか？

アマゾンは米国内だけで少なくとも75ヵ所の配送センターを有し、そこで12万5000人以上の従業員を雇用していると見られます。彼らは労働組合に加入していないので、これまで労組主導の労使交渉などを通じてアマゾンの労働条件が公表されることはありませんでした。

しかし最近ではさまざまな方面から、それが漏れ伝わりだしています。

2018年、ミネソタ州の配送センターで働くソマリアなど東アフリカ出身の従業員が、労働条件の改善を求めてアマゾン経営陣と初の集団交渉に臨みました。

彼らの大半は母国の内戦を逃れてきた難民ですが、イスラム教徒であるため一日に数回、決まった時間に特定の方角に向かって礼拝する必要があります。ミネソタ州の配送センターでは、イスラム教徒の従業員が業務時間中に礼拝する権利を保障しています。

しかしソマリア出身の従業員らは「アマゾンが倉庫の効率的な運用を最優先し、我々を急き立てるように働かせるので十分な礼拝時間が確保できない」と訴えました。労使間の協議は難航し、交渉は長引きました。

同じく2018年、ニューヨーク市のスタッテン島にある配送センターでもトラブルが持ち上がりました。ここを解雇された元従業員の男性が小売労組の屋外集会でスピーチし、「(アマゾンの配送センターは)12時間交代制で休憩はほとんど取れない。ピーク・シーズンには週に6日働かされる」と訴えました。

これらのケースから浮かび上がってくるのは、アマゾンが自社の従業員に課している過度に高い生産性ノルマです。また、それを達成するための特異な管理手法も批判を浴びています。

米メディアの報道によれば、アマゾンの配送センターではコンピュータシステム(一種のAI)が従業員の生産性を自動計測しています。[*2] あらかじめ経営陣が決めたノルマをこなせない従業員には警告が出され、それでも目標が達成できない場合には解雇されます。ある配送センターでは、このようなシステムによって年間約300人が解雇されましたが、これは全従業員の約1割に当たります。

システムが計測する生産性の指標には、商品パッケージ担当の従業員が1時間に梱包作業した箱数など合理的な指標もあります。その一方でシステムは、こうした従業員が休憩などで持ち場を離れた時間も計測しています。その時間が長すぎると、やはり警告を受けて最終的には解雇される恐れがあるため、従業員の中にはトイレ休憩を取るのを憚（はばか）る人さえいるといわれます。

彼らは「自分たちがまるでロボットのように扱われている」という感想を漏らしています。配送センター内の棚には多数の商品箱が置かれています。これらの箱に各種の商品を振り分ける「ストウワー」と呼ばれる従業員は、コンピュータシステムの指示に従って作業をします。[*3]

ストウワーが日焼け止めクリームを商品箱Aに入れ、それに隣接する商品箱Bに、それと外見がよく似た別の日焼け止めクリームを入れようとすると、その作業を監視していたシステムが警告音を発します。これは箱から商品を取り出す「ピッカー」と呼ばれる従業員が、誤って別の箱からよく似た商品を取り出す恐れがあるので、それを予防するためです。

一方、商品の梱包を担当する「パッカー」がボタンを押すと、テントウムシ型の搬送用ロボットが彼らのいる作業場までやってきます。このロボットの背中に取り付けられているラックから、（やはりシステムの指示に従って）パッカーは次に取り出すべき商品が入っている箱を選び出し、そこから時計、ドライバー、本、ビタミン剤など多種多様な商品を取り出しては配送用の箱に詰めていきます。

これらの事例から見てとれるように、アマゾンの配送センターでは従業員（人間）の自主的な判断を極力排して、その判断をシステムに委ねています。こうしたほうが作業の効率性、つまり配送センターの生産性がアップするからです。

最近、世間では「人間の労働者がロボットに置き換えられる」ことが懸念されていますが、アマゾンのケースを見る限り、実際にはむしろ「人間を（システムに従って動く）ロボットにする」という事態が進んでいるようです。

もちろん現在、人間の労働者がやっている「ピッキング」などの作業もいずれは（本当の）ロボットが担当するようになるでしょう。その時に備えてアマゾンは従業員の再教育プログラムに着手したわけですが、ロボットが人間を完全に代替するまでには相応の時間がかかりそうです。

少なくともそれまでの間は、「人間をロボット化する」ほうがより現実的な手段と考えられているのかもしれません。

AIの指示に従って働く従業員

これはアマゾンのような特定の企業、あるいは「商品配送センター」のような肉体労働の職場に限った話ではありません。

米国の生命保険会社メットライフでは、コールセンターで働くカスタマー・サポート従業員がＡＩ（コンピュータソフト）の指示に従って働いています。[*4]

同社従業員の業務用パソコンでは、その画面の片隅に青いボックスが表示されます。このボックスの中にＡＩからの指示が表示されるのです。

電話で顧客対応するカスタマー・サポート従業員の仕事振りをＡＩは常時観察し、それに基づいて指示を出します。

従業員が顧客に対して早口で喋っているときには、青いボックスに「スピードメーター」のアイコンが表示されます。これは「もっとゆっくり話しなさい」という意味です。

従業員が眠そうに話をしていたり、その口調に活気が感じられないときには「エネルギー補給」のアイコンが表示されます。これは「コーヒーでも飲んで、元気を出しなさい」という意味です。

従業員の話し方が冷淡で、顧客に対して敬意や共感、同情などの気持ちが感じられないときには「ハート」のアイコンが表示されます。これは「もっと心を込めて、お客様に対応しなさい」という意味です。

なぜ、このようなことが可能になったのでしょうか？

メットライフのコールセンターで使われているのは、米国のベンチャー企業「コギト（Cogito）」が開発した会話診断ＡＩです。このＡＩは高度な音声認識や自然言語処理の技術を使って、カスタマー・サポート従業員の話し方や会話の内容を分析。ここから彼らの体調や気分、仕事振り等を読み取り、適切な指示を出すことができるのです。

このＡＩを業務に導入して以来、同社コールセンターに対する顧客の満足度は13％もアップするなど、従業員のパフォーマンスは確かに改善されました。

コギトによれば、同社の会話診断ＡＩはメットライフのような保険会社以外にも、金融機関や小売業者など全部で約２００社に採用されているといいます。

また、これと同様のＡＩは他社も提供しています。（第4章で紹介した）ＩＢＭの「ワトソン」は医療以外にも、企業社員の働きぶりを評価するために使われています。ＩＢＭによれば、それは従業員の潜在的な生産性を96％の精度で予測できるそうです。

シリコンバレーのベンチャー企業「ペルコラータ」が開発・商品化したＡＩは、米国のユニクロやセブン‐イレブンなど多数の小売店で導入されました。このＡＩは店内に取り付けられた各種センサーからの情報を使い、従業員の生産性を科学的に測定。これを示すスコアを基に、従業員をランク付けして評価します。

言わばＡＩから肩越しに監視されることになった従業員ですが、常識的に考えて彼らがあまり良い気分であるとは思えません。

コギトの会話診断ＡＩを導入したメットライフの従業員の中には、このソフトをパソコンから外そうとする人たちもいますが、それも当然でしょう。本来、社員の生産性を高めるために導入したＡＩ管理ツールが、逆に彼らのやる気を削いでしまうようでは元も子もありません。

ＡＩで社員の士気を高める

そうした従業員の心理に着目したアプローチもあります。

現代の職場には業務用のメッセージングアプリをはじめ、さまざまなデジタルツールが普及していますが、その上をリアルタイムで行き交うデータをＡＩで分析し、職場の雰囲気を良くするためのソフトも登場しました。皆の気持ちが明るくなれば、一つの仕事に共同で取り組むチーム全体の生産性がアップするという考え方に基づいています。

シリコンバレーのベンチャー企業ウエルカムＡＩが開発した「ヴァイブ（Vibe）」という製品では、職場でよく使われる「スラック」と呼ばれるコミュニケーション・ツール上を流れる大量のメッセージをリアルタイム分析します。

そこで頻出するキーワードや絵文字など感情的な要素にも注目し、チームメンバーが今、ハッピーな心理状態にあるか、それとも強いストレスに晒されているか。あるいは失望したり、イライラした状態にあるか等を詳しく分析し、これらをわかりやすいグラフにして表示します。これらの情報を基に、チームメンバーは互いの状況を理解し合うことで共同作業を円滑に進めることができます。

同じくシリコンバレーのベンチャー「ヒューム（Humu）」は、顧客企業の従業員を対象にしたアンケート調査を実施し、その回答をＡＩで分析。ここから従業員の満足度を高め、離職率を低下させるために変えるべき点を見つけ出し、メッセージやメールを通じてユーザーに行動を変えるよう促します。

ヒュームは自らのＡＩを「ナッジ・エンジン」と呼んでいます。ナッジ（nudge）とは「突っつく」を意味する英語です。大抵の人間は本来すべきことよりも、楽なことをするほうに流れてしまう傾向があるので、あえてＡＩが人間を突っついて、本来すべきことをさせるという発想に基づいています。

ヒュームの顧客企業の一つに、米国内で90店舗を展開するレストランチェーンがあります。このチェーン店の最大の問題は、従業員の離職率の高さでした。

１８００人の従業員に対するアンケート調査結果を分析したヒュームのＡＩは、彼らが店を辞める理由は自らのキャリアに将来展望を持てない点にあると判定しました。そこでＡＩ（ナッジ・エンジン）は、各店舗の店長を〝突っついて〟従業員との個別面接を実施させることにしました。

この面接では各々の従業員が今、身につけるべきスキルを洗い出し、それが将来のキャリア形成にどう役立つかを店長が従業員に説明します。これによって従業員は今の仕事が自分の将来にどんな意味を持つのかを理解し、日常業務に対する取り組みが前向きになると期待できます——こうした一連のステップを、ＡＩが店長にメールで指示したのです。

グーグルの生産性向上計画

ヒュームの創業者・最高経営責任者ラズロ・ボック氏は、かつてグーグルの「人員分析部（people analytics operation）」の責任者として10年以上勤務しました。その時の経験に基づいてヒュームのＡＩは開発されたのです。

同氏が在籍していた期間に、グーグルは社員数が8倍にまで膨れ上がりました。その過程でさまざまなバックグラウンドの人たちが入社したため、これら従業員を一つにまとめあげて、そのポテンシャルを最大限に引き出し、企業としての生産性を高めることが必要となりました。

そこでグーグルは2012年、思い切った労働改革プロジェクトに着手します。この計画は「プロジェクト・アリストテレス」と呼ばれ、ボック氏が率いる人員分析部が主導する形で実施されました。[*5]

グーグル社内にはさまざまな業務に携わる数百のチームが並立していると見られますが、その中には生産性の高いチームもあれば、そうでないところもあります。同じ会社の従業員なのに、なぜ、そのような違いが出るのでしょうか？——これをさまざまな角度から分析し、より生産性の高い働き方を提案するのがプロジェクト・アリストテレスの目的です。

本来、さまざまなデータを分析するのはグーグルの得意技です。同社には、こうした分析作業を手掛ける統計の専門家やエンジニアが多数働いていますが、プロジェクト・アリストテレスでは、他にも組織心理学や社会学の専門家まで、多彩なエキスパートを募って分析作業に当たらせました。

そうした分析の対象として、彼らが特に重視したのは「チームワーク」でした。ビジネスがグローバル化し、複雑化の度合いを深めている今日、多くの業務は単独の従業員ではこなしきれません。どうしてもチームによる共同作業が多くなるからです。

このためプロジェクト・アリストテレスでは、社内のさまざまなチームを観察し、上手くいっているところと、そうでないところの違いを明らかにしようとしました。「同じチームに所属する社員（チームメイト）は社外でも親しく付き合っているか」「彼らはどれくらいの頻度で一緒に食事をしているか」「彼らの学歴に共通性はあるか」「外向的な社員を集めてチームにするのがいいのか、それとも内向的な社員同士のほうがいいのか」「彼らは同じ趣味を持っているか」など、多岐にわたる観察を行ったのです。

共通するパターンが見られない

人員分析部では、これらの観察結果を図式化して、そこから標準的な業務目標を上回るチームに共通するパターンを見出そうとしました。しかしパターン抽出が得意なはずのグーグルなのに、自らの社員の労働分析からは、なかなか、目立ったパターンを見出すことができませんでした。

たとえば同じく生産性の高いチームでも、片方のチームは「社外でも仲良く付き合う友人同士」のような関係であり、もう片方のチームは「まともに会話するのは会議室の中だけで、そこを出ればアカの他人」というような関係でした。

また、あるチームでは、強いリーダーのもとに階層的な人間関係を敷いていたのに対し、別のチームではもっとフラットな人間関係を築いていました。それでも両者の生産性に、ほとんど違いは見られなかったのです。

結局、こうした「チーム編成の在り方」と「労働生産性」の間には、ほとんど相関性がないのではないか――そう考えたグーグルの人員分析部は、今度はチームのメンバーが従っている「規範（norm）」にこそ生産性のポイントがあるのではないかと考え、そこを洗い出すことにしました。

ここでの規範とは、チーム内で共有する「暗黙のルール」や「行動規準」、あるいは「チームカルチュア」のようなものを指しています。

しかし、この点でも目立ったパターンは見つかりませんでした。あるチームでは、会議中にリーダーがチームメイト全員に等しく発言する時間を与え、それを別のチームメイトが途中で遮ることを許さなかったのに対し、別のチームでは互いに発言の途中で割って入るのが常態化していました。

また、あるチームでは仕事時間中に雑談したり、他人の噂話をしたり、週末のプランを話すなど私的なコミュニケーションが交わされていたのに、別のチームでは「オフィス内では仕事に専念し、私語は厳禁」といった雰囲気を形成していました。

このように数百に上るチームが各々従う規範を観察しても、そこから成功するチームに共通するパターンを見出すことはできませんでした。それどころか、同じく生産性の高いチームなのに、全く正反対の規範に従っているケースも珍しくなかったのです。

唯一、ある種のパターンとして浮かび上がってきたのは「働き方」に関するものではなく、むしろ成功の法則性に関するものでした。つまり成功するチームは何をやっても成功し、失敗するチームは何をやっても失敗する――そのようなパターンだったのです。

以上のような話を聞くと、読者の皆さんの中には「それは働き方の問題ではなくて、単にメンバーの能力の違いによるのではないか。要するに、優秀なメンバーが集まったチームは常に成功している。それだけの話ではないか」と思われる方が多いかもしれません。

ところが、実際はそうではなかったのです。

グーグルのチーム編成は固定化されていません。つまり一人の社員が異なる業務目的に応じて、同時並行的に複数のチームに所属しています。中には、メンバーの大多数が重複する2つのチームが生まれることもありますが、驚くべきことに片方のチームの生産性は高く、もう片方は低いこともあるのです。

成功のカギは心理的安全性

このように確たるパターンが見出せずに困り果てたグーグルの人員分析部では、集団心理学に関する学術論文などアカデミックな調査結果を再度深く当たってみることにしました（同プロジェクトの初期段階では、それから始めていたのです）。そこから浮かび上がってきたのは「他者への心遣いや同情、あるいは配慮や共感」などメンタルな要素の重要性でした。つまり成功するグループ（チーム）では、これらの点が非常に上手くいっているというのです。

たとえばチーム内で誰か一人だけ喋りまくって、他のチームメイトがほとんど黙り込んでいるチームは失敗します。逆に（途中で遮られるかどうかは別にして）チームメイト全員がほぼ同じ時間だけ発言するチームは成功することが多いのです。

それは暗黙のルールとして、そのような決まりを押し付けるのではなく、むしろ、自然にそうなるような雰囲気が、チーム内で醸成されることが重要なのだといいます。

つまり「こんなことを言ったらチームメイトから馬鹿にされないだろうか」、あるいは「リーダーから叱られないだろうか」といった不安を、チームのメンバーから払拭する。心理学の専門用語では「心理的安全性（psychological safety）」と呼ばれる、こうした安らかな雰囲気をチーム内で育めるかどうかが、成功の鍵を握っているのです。

しかし、そのために具体的に何をすべきか、となると、そこにはなかなか難しいところがありました。なぜなら、グーグルの社員は数字やデータの分析は得意ですが、他者への配慮や同情となると、それらが欠如しているとまでは言いませんが、少なくとも、それらを表現するのは、あまり得意ではないと考えられたからです。

本来の自分でいられる職場を目指して

そこでグーグルの人員分析部では、2014年後半に当時の社員5万1000人の中から、チームリーダー格の有志を募って、彼らにプロジェクト・アリストテレスの趣旨や調査結果を伝えました。そして彼らに対し、自らのチーム内に「心理的安全性」を育むための具体策を考えるよう促したのです。

そうしたチームリーダーの一人に、ある日系アメリカ人の男性がいました。彼を中心に結成されたチームはそれまでなかなか生産性が上がらず、そのことに彼は悩んでいたのです。そこで彼は人員分析部から手渡された調査票を使って、チームメイトへのアンケート調査を実施しました。

調査票には、「社内におけるチームの役割や目的」、あるいは「自分たちの仕事が会社(グーグル)に与えるインパクト」などを、どこまで理解しているかを評価する項目が並んでいましたが、これらの点について彼のチームメイトたちが下した自己評価は、いずれも極めて低い数値を示していました。

これに衝撃を受けたリーダーはチームの全員を集めて、カジュアルなミーティングを催しました。そこで彼は「これから君たちの知らないことを打ち明けよう」と断った上で、自身が進行は遅いながらも転移性のがんに冒されていることを告白したのです。

しばらく沈黙が続いた後、チームメイトの一人が立ちあがって自分の健康状態を打ち明けました。そこから堰を切ったように、チームのメンバー一人一人が自らのプライベートな事柄を語り始め、それが終わるころには、自然に今回のアンケート結果についての議論(つまりチーム内のモラールを高めて、生産性を高めるための議論)へと移行していきました。

以上のようなプロジェクト・アリストテレスから浮かび上がってきた新たな問題は、個々の社員が仕事とプライベートの顔を使い分けることの是非であったといいます。もちろん公私混同はよくないでしょう。しかし、ここで言っているのは、そういう意味ではなく、同じ一人の人間が会社では本来の自分を押し殺して、仕事用の別の人格を作り出すことの是非です。

多くの人にとって、仕事は人生の時間の大半を占める要素です。そこで仮面を被って生きねばならないとすれば、あまり幸せな人生とはいえないでしょう。社員一人一人が会社で本来の自分を曝け出すことができること、そして、それを受け入れるための「心理的安全性」、つまり他者への心遣いや共感、理解力を醸成することが、長い目で見ればチームの生産性を高めることにつながる——それがプロジェクト・アリストテレスから導き出された結論でした。

失敗にもボーナス

この「心理的安全性」はその後、グーグル全社を貫くモットーとなりました。中でも、それが一種独特な文化として根付いたのが同社の基礎研究所です。

ここはもともと2010年に同社の研究部門「グーグルX」として立ち上げられ、当初から自動運転車や宇宙エレベーター、あるいは低温核融合など、いわゆる「ムーンショット」と呼ばれる野心的な研究テーマを数多く手掛けてきました。

やがてグーグルの組織再編に伴い、この研究部門は2015年に（グーグルの持ち株会社）アルファベット傘下の一企業「X」として再出発しました。彼らが扱うのは、グーグルの本業である検索・広告ビジネスとは全く無関係の研究テーマです。組織再編後のグーグルには（検索・広告事業等に特化した）現実的な開発部門があるので、Xにはむしろ今後の世界を変えるようなスケールの大きい研究開発が求められたからです。

それはXの人員構成にも如実に反映されています。

グーグル社員の大半はソフトウエア技術者ですが、Xのメンバーは「蛇型ロボット設計者」「異次元物理学者（注1）」「バルーン（風船）科学者」「心理学者」、さらには「ファッション」や「パブリック・アート（注2）」の専門家など、異分野の研究者たちで占められています。

彼らが日頃提案する研究テーマの中には、突飛で非常識と思われるテーマも少なくありません。しかし、それらを頭ごなしに否定してしまえば、そこに潜む可能性の芽を最初から摘んでしまうことになります。むしろ研究者がどれほど馬鹿げたアイディアを提案しても、それが周囲から許容される心理的安全性がXの文化的風土として必要とされたのです。

しかしXの研究者に本当に求められているのは、単なる好奇心に基づく基礎研究というより、そこで育まれた数々の研究成果をいずれはグーグルのビジネスへと育て上げることです。

それは決して容易なことではありません。

宇宙エレベーターや（人が背中につけて飛ぶための）ジェット・パック、さらには（第3章で紹介した）「ボストン・ダイナミクス」をはじめとする次世代ロボットなど、これまでXが手掛けた数々の研究プロジェクトはビジネス化以前に暗礁に乗り上げ、計画中止へと追い込まれました。

これらは超先端的な研究テーマであるため、そう簡単にビジネス化できないことは、当初から誰の目にも明らかでした。一方でグーグル（アルファベット）の株主からは「予算を無駄遣いしないで早く成果を出せ」という要求が日増しに強くなっています。しかし、そんなことでXの研究者が萎縮してしまっては、肝心の成果が生まれません。

このためXのディレクター（事実上の所長）、アストロ・テラー氏はさまざまな策を講じています。その一つが「失敗へのボーナス」です。

Xに勤務する化学者らが提案した「フォッグホルン」という研究計画が、最初にその恩恵に与ることになりました。これは海水から燃料成分を作り出し、最終的にはガソリンに精製するという斬新な代替エネルギー計画です。

ところが、このプロジェクトは開始から2年経っても、巨額の予算を食い尽くすばかりで、一向に芽の出る気配がありませんでした。そこで2016年1月のチーム会議でその打ち切りを決定。これに伴い、同プロジェクトに参加した研究者全員にボーナスが支給されたのです。

その理由は潔くプロジェクトを中止したことで、（仮にプロジェクトがゾンビ化して生き残っていたとすれば）余計にかかっていたであろう予算、人員、期間などを節約できたからです。この点を評価して、チームメンバー全員にボーナスが支給されたのです。

Xは同年、会社のメインホールで大集会を開き、多くの研究者が日頃の業務に関する失敗のみならず、恋愛・友人関係の破綻や家族の死など個人的な挫折・悲劇などを報告する機会を設けました。これは容易に想像がつくように涙交じりの極めて感情的なイベントとなりましたが、参加した従業員の間では、その後の業務遂行に大きなプラス効果をもたらしたと見られています。

（注1）英語では、extra-dimensional physicist という。素粒子物理学の超弦理論など、10～11次元に及ぶ多次元空間を研究する物理学者
（注2）公共スペースに展示される芸術作品

女性差別とセクハラ問題に揺れる

後から振り返れば、この2016年がグーグルに対する社会的評価がピークに達した時期かもしれません。毎期巨額の収益を叩き出す本業とともに、従業員の誰もが職場で思ったことを口にできる自由闊達な社風は、米国企業の模範とされました。

ただ、この頃から同社の偏った人員構成に、社内外から批判の声も聞かれるようになりました。当時、公表されたデータによれば、米グーグル社員の80％は男性、56％は白人、41％はアジア系でした。つまり圧倒的に男性、特に白人中心の職場であることが露呈したのです。

2017年8月、グーグルの検索技術者、ジェームズ・ダモア氏が同僚らに向けて作

成・公開した社内メモがウェブメディアの「ギズモード」にリークされて掲載されました。

全部で約10ページに及ぶ同メモには、「女性は生まれつきエンジニアとして劣る生物学的な特質を有している。女性は物事よりも人間に関心があり、神経症的で、断固たる姿勢に欠ける」という趣旨が記されていました。

ダモア氏がこのようなメモを書いた動機は、その数日前に彼が社員集会で聞いた噂にありました。それによれば、グーグルの人事部門が今後、新規採用に際して、女性と人種的マイノリティの優先枠を設ける方向で検討中といいます。

これに抗議するため、ダモア氏は自らのメモを社内のメーリングリストで公開したのです。労働力の多様性を重視すれば「グーグルのバー（基準）を押し下げてしまう」と同氏は主張しました。

このメモはシリコンバレー関係者の間で大変な物議を醸しました。グーグルの経営陣は緊急会議を開き、ダモア氏の処遇を検討しました。

会議に参加した幹部らの約半数はダモア氏を擁護しましたが、2人の女性幹部が「もしも彼が性別ではなく人種について同じことを主張したとすれば、皆さんはどう反応したでしょうか？」と問い質すと、会議の雰囲気が一変。ダモア氏の解雇が決まりました。[*6]

グーグルを首になったダモア氏は翌2018年1月、同じく職場における差別的な言動を理由に解雇された別の男性エンジニアとともに同社を提訴しました。この訴訟で２人は「グーグルは保守的な見解を持つ白人男性を差別している。解雇は不当だ」と主張しました。

トランプ政権の発足2年目となる当時は、伝統的にリベラル色の強いグーグルなどシリコンバレー企業への風当たりが強まっていました。「ＦＯＸニュース」など保守系メディアに登場し、そこで持論を展開したダモア氏は一定の支持を得ることができました。こうした展開に、グーグルの経営陣は神経を尖らせていきました。

また、この頃からグーグル社内のセクハラ問題が表面化し、全米の関心を集めました。

２０１８年10月、スマホＯＳ「アンドロイド」の父として知られるグーグルの元副社長アンディ・ルービン氏の不祥事が発覚しました。同氏は２０１４年10月にグーグルを一身上の理由で退社していましたが、その理由が実は深刻なセクハラ事件であったことが米メディアによって明らかにされたのです。

ニューヨーク・タイムズ紙によれば、ルービン氏は２０１２年頃から当時アンドロイド部門に勤務していた女性従業員と不倫関係に陥り、２０１３年3月にホテルの一室で彼女にオーラルセックスを強要。彼女はこれを拒絶し、２人の関係は終わりました。[*7]

翌２０１４年、この女性がグーグルの人事部に事件を告発。内部調査により、彼女の訴えには信憑性があると判定したグーグルは、ルービン氏に辞職を勧告しました。同氏はそれに従いましたが、実に9000万ドル（約100億円）もの退職金を受け取りました。またグーグルはルービン氏の退社理由を公にしませんでした。

他にも、同じ時期に2人の幹部社員が社内不倫やセクハラ事件により辞職していました。さらに2016年には、グーグルの検索部門・上級副社長アミット・シンハル氏が女性従業員の身体をまさぐるなど痴漢行為から辞職に追い込まれました。いずれのケースでも辞職した幹部社員には巨額の退職金が支払われ、事件は闇に葬られました。

これらスキャンダルがメディア報道で白日の下に晒されたため、全世界のグーグル社員たちが抗議のためにオフィスから一時表に出てデモ活動に参加しました。デモはシンガポールで始まり、インド、ドイツ、ロンドン、ニューヨーク、そして本社のあるカリフォルニア州マウンテンビューへと広がっていきました。参加者はニューヨークで約3000人、マウンテンビューでも数千人に上ったと見られます。

軍事プロジェクトに社員が猛反対

これとほぼ同時期、世界のIT産業を取り巻くビジネス環境の激変に応じて、グーグルは成長戦略の修正を迫られていました。

2018年3月、英国のデータ分析会社ケンブリッジ・アナリティカがフェイスブックから８７００万人以上のユーザーデータを不正入手していた事件が発覚し、世界的に激しい非難を浴びました。しかし、それ以前から米国のＧＡＦＡなど巨大ＩＴ企業による個人情報の扱いには批判が集中していました。

それが法規制へと結びついたのが、２０１８年５月にＥＵ（欧州連合）で実施された「ＧＤＰＲ（一般データ保護規則）」です。このルールでは、欧州連合の域外に個人情報を持ち出すことを原則禁止し、これに違反した企業には巨額の罰金が科せられます。

このＥＵをはじめ、世界的にビッグデータビジネスへの締め付けが厳しさを増すことで、それまで大量の消費者データ（個人情報）を比較的自由に取得し、分析することで成長してきたＧＡＦＡのビジネスモデルに制限が課せられました。

そうした中、グーグルは新たな成長の柱として、これまで禁断の領域とされてきた事業に足を踏み入れました。それは「プロジェクト・メイブン」と呼ばれる軍事計画です。

２０１７年７月に米国防総省で開始されたプロジェクト・メイブンは、国防関係のさまざまなビッグデータ解析を先端ＡＩディープラーニングで自動化する取り組みです。

その対象となるデータはスパイ衛星やドローン（無人機）が撮影する紛争地帯の画像情報、あるいは諜報部門からのインテリジェンスなど。これらの情報（ビッグデータ）は時々刻々と国防データベースに蓄積され、もはや人手では対処しきれないボリュームに達しています。これを人間とは桁違いの高速処理が可能なＡＩに分析させることで、安全保障上のリスクやさまざまな課題に素早く対応できるようになるというわけです。

国防総省は、このプロジェクト・メイブンをグーグルに発注することにしました。同社はディープラーニングの開発力で群を抜くとともに、その効率的なプロジェクト管理にも定評があります。グーグルに任せれば、（国防総省が手掛けるような）官製プロジェクトの非効率性という弊害を打破して、短期間で成果を上げることが可能と考えたからです。

この仕事を受注したグーグルは、手始めに「テンソル・フロー」と呼ばれるディープラーニング用のフレームワーク（注３）を利用し、わずか数ヵ月でテロ監視用の画像解析ツールを構築。これは２０１７年に世界各地の紛争地帯に導入され、その上空を飛ぶ米軍ドローンが撮影した「ＩＳ（イスラム国）」関連映像の分析に活用されました。

当初グーグルは、プロジェクト・メイブンの関係者以外には内密で同プロジェクトを進めていました。しかし、それが２０１８年3月にギズモードにリークされて報じられると、グーグル全社員の反発を招きました。こうした軍事開発は、「邪悪になるな（Don't be evil）」という創業時のモットーに反するからです。

これに対しグーグル経営陣は「現時点でプロジェクト・メイブンは〝わずか〟９００万ドル（10億円程度）の収入しかもたらさない上、（軍需事業とはいっても）直接、人間を殺すような技術開発ではない」と社員に訴え、彼らの理解を求めました。が、グーグル社員の多くは、この説明に納得しませんでした。プロジェクト・メイブンの第1弾となる「ドローンが撮影した地上映像の解析」は、「敵となる人間を識別して、これを攻撃する用途」にも応用可能です。

また、当初はいかに小規模とはいえ、これに端を発する形で、いずれはもっと大規模な軍事プロジェクトに拡大する可能性もあります。実際、国防総省の計画では、プロジェクト・メイブンは後に「プロジェクト・ジェダイ」と呼ばれる総額100億ドル（1兆円以上）の巨大プロジェクトに発展する予定でした。

米国だけでも数万人に及ぶグーグル社員のうち約4000名の社員が「軍事プロジェクトへの自粛」を求める歎願書に署名し、10名以上の社員が抗議のために辞職したと見られています。

従業員らの激しい反発、そして自らの企業イメージに配慮したグーグルは2018年5月、プロジェクト・メイブンから手を引くことを決定しました。

（注3）ITシステムを構築するための開発基盤

自由と秩序のバランスが今後の課題に

社内の偏った人員構成と女性差別、セクハラ事件、そして軍事プロジェクトへの抗議運動などを経て、グーグルは職場での言論ガイドラインを改定しました。

それまでグーグルは社内における自由な論争をあえて奨励してきました。社内のメーリングリストには、職場の人種的多様性から「ポリアモリー（複数パートナーとの恋愛関係）」まで多彩なアジェンダ（議題）が掲げられ、中には3万人以上の従業員が参加する巨大フォーラムまでありました。

1990年代後半に、スタンフォード大学・大学院に在籍する2人の学生が起業したグーグルは、大学キャンパス内の開放的な文化をそのまま企業社会に持ち込もうとしました。それが社員の自由な発想を促し、独創的な製品開発につながると期待したからです。

職場で誰もが気兼ねすることなく自分の信条や思うところ、あるいは健康状態や恋愛関係の破綻、さらには性的指向までをも公言できる「心理的安全性」は、まさに創業者らによる初期の経営方針に端を発していたと見ることができます。

こうした自由なカルチュアに守られることによって、高性能の検索エンジンやGメール、グーグル・アースなど独創的な製品が次々と世に送り出されました。

しかしグーグルが急成長を遂げ巨大企業へと変貌するのに伴い、社会的な責任が増すと同時に世間の見る目も厳しくなってきました。

そのような新しい環境下では、従来の自由な社風よりも社内の秩序が重んじられます。改定されたガイドラインでは、従業員に対し自社に関して誤解を招く発言を自粛することが求められました。また日常業務に差し支えるような、政治や時事テーマに関する過激な論争も慎むよう定められています。

さらに、それまで同社のオープンな社風を象徴すると見られてきた、週末に開催される「ＴＧＩＦ」と呼ばれる経営陣・従業員の対話集会も原則廃止と決まりました。

２０１９年12月、グーグルの持ち株会社アルファベットはラリー・ペイジ氏が同社ＣＥＯを退任し、代わってグーグルのサンダー・ピチャイＣＥＯがアルファベットのＣＥＯも兼務する体制となることを発表しました。

そもそも２０１５年にペイジ氏らがグーグルをあえて持ち株会社体制へと移行した理由は、高性能の検索エンジンやユーチューブなど本業でお金をがっちり稼ぐグーグルと、いわゆる「ムーンショット」と呼ばれる夢の次世代ビジネスを上手く切り分けて、親会社アルファベットの傘下で両者を共存共栄させるためでした。

しかし、それから現在に至るまでアルファベットの売り上げの99％以上はグーグルが稼ぎ出し、ムーンショット部門は赤字を出し続けています。経営的には後者に対する風当たりが強くなってきたので、やむなく本業部門の指揮を執ってきたピチャイ氏に持ち株会社のCEOも兼務させて、両者を一体化した格好です。つまりアルファベットとは結局グーグルであることを認めた上で、ムーンショット部門も今後はちゃんとお金儲けができる実業へと転換させていく決意を株主らに示したのです。

従来の自由と新たに求められる秩序をどのようにバランスさせながら、ムーンショットのように独創的な事業開発を持続していくのか？　これが今後のグーグルに課せられた最大のテーマとなっています。

協調性よりも批判を優先するアマゾン

かなりの修正を迫られているとはいえ、基本的には「心理的安全性」に守られた自由を重視するグーグルとは対照的に、アマゾンの社風は徹底的な競争至上主義にあります。米アマゾンの人事部門トップはかつて、これを「社内ダーウィン主義（従業員の自然淘汰論）」と評しました。

アマゾン本社で働くオフィスワーカーは、会議で同僚が出したアイディアや意見を容赦なく批判することが奨励されます。かつてアマゾンに2年間勤務した後で退社した男性によれば、今でも脳裏に焼き付いているのはオフィスで咽（むせ）び泣く従業員の姿であると言います。*8

「会議が終わると、大の男が顔を両手で覆って泣いているのです。私がともに仕事をしたことのある同僚らのほぼ全員が机の前で泣いているのを私は見たことがあります」

アマゾン社員の勤務時間は深夜に及ぶことが普通で、帰宅後も上司や同僚らからメールやテキストメッセージが次々と送られてきます。

またオフィス内線電話のディレクトリ（人名簿）には、アマゾン従業員が同僚の働きぶりを互いの上司に報告する方法が記載されています。そこには「彼は柔軟性に欠け、些末な仕事に対しては皆の前で不平を述べます」等という例文まで記されています。

このように苛烈な企業文化は、同社の創業者・最高経営責任者であるジェフ・ベゾス氏自身によって意図的に形成されたと見られます。

アマゾンは1994年にワシントン州シアトルで創業しましたが、当時を知る重役・従業員らによれば、ベゾス氏は一般に企業の活力を奪うとされる「官僚主義」「経費の無駄遣い」、そして「厳格さの欠如」を防止するため14ヵ条の社則を設けました。これはラミネート・カードに印刷されて、その後も全社員が普段携行するようになりました。

ベゾス氏は会社経営に関して多くのユニークな見解を持っていますが、中でも異彩を放っているのが「（従業員の）協調性は往々にして職場で過大評価されている」という考え方です。協調性を重視するあまり（社員同士の）率直な批判が犠牲にされ、欠陥のあるアイディアに対しても社交的な称賛が与えられる、というのです。

これを予防するため、アマゾン社則の第13条には「(他人の意見に) 反対し、それに責任を持て」と記されています。そこには「誰かのアイディアを批判する際には、発案者自身が目を背けがちな (アイディアの) 問題点をフィードバックせよ」という意味が込められています。

また同9条には「倹約」と記されていますが、これを象徴するようにアマゾン従業員の仕事机は極めて簡素なデザインです。さらに通信費から交通費に至るまで諸経費は必要最小限に絞られるばかりか、やむを得ない場合には自費で賄う社員も少なくありません。

アマゾン・ジャパンでも「倹約」は最も重視される評価項目です。かつて商品に同封する伝票をA4サイズから、より小さなサイズに変更して、大幅なコスト削減を実現した社員は一気に評価が上がりました。[*9]

アマゾンの全従業員には、給与水準を決めるために12段階の「レベル」がつけられます。レベル1〜3が配送センターなどで時間労働に従事するアルバイトや契約社員。レベル4がフルタイムの正規従業員。ここから中間・上級管理職、部門長、副社長などへと昇進し、最高のレベル12がジェフ・ベゾスCEOです。

従業員には通常のボーナスに加えて、レベル4以上になると業績評価に応じてアマゾンの「制限付き株式（restricted stock）」が与えられます。これは「（付与が決まってから）2年勤務した後に与えられる」という制限付きの株式ですが、少ない人で数株、多い人では数十～数百株にもなります。

この株数がアマゾン社員のモチベーションでもあり、プレッシャーにもなります。日頃、長時間労働や同僚からの厳しい批判にも耐えて働くのは、このアマゾン株を受け取るためですが、その株数が少ないと同社を辞める動機にもなります。

また低い評価が続けば自然と居場所はなくなっていくし、あえて無理なミッションが下りてきて、さらに査定が下がる場合もあるといわれます。こうしたことからアマゾン社員の離職率は極めて高く、全社員の85％は入社から5年以内に退社すると見られています。

アマゾンを退社した人たちは労働市場で引く手あまたです。これはつらい仕事にも負けない忍耐力や倹約を重んじる規律等が、他社の従業員とは一線を画しているからです。このためというわけでもないでしょうが、フェイスブックは（アマゾン本社のある）シアトルに大きなオフィスを設け、ここでアマゾン離職者の多くが働いているといわれます。

しかし他社で働き始めたアマゾン元従業員の、新たな職場での評判は芳しくありません。それは会議中に同僚の意見を貶すなどの悪癖が、新しい会社に入っても抜けないせいだといわれます。このため彼らには（米国で「最低野郎」を意味する俗語「アスホール（ケツの穴)」を捩(もじ)った)「アムホール」という綽名(あだな)が付けられたほどです。

他方、アマゾン社内の厳しい競争に勝ち残って重役まで上り詰めた一部の人たちは、その間に蓄えた大量の自社株の株価が上昇することで巨万の財をなすことも夢ではありません。この望みがあるだけに、アマゾンは、離職率は高くても、新たに応募してくる人材には不足しないのです。

ジェフ・ベゾスの大失敗

14ヵ条の社則からもわかるように、アマゾンは創業者ジェフ・ベゾスCEOの強力なリーダーシップによって急成長を遂げた会社です。今世紀に入ってからも電子ブックリーダー「キンドル」やクラウド・コンピューティングの「AWS」、さらには「エコー」のようなスマート家電・IoTビジネスなど業容を拡大しています。

これらの画期的な新商品(事業)を開発する上で、大きな役割を果たしたのが同社の研究所「Lab126」です。

一般的な大企業であれば、その創業者・経営者が研究所の通常業務に口を差し挟むことはほとんどありませんが、アマゾンではそうした常識が通用しません。Lab126で中心的な役割を担っているのはベゾス氏であり、その脇を各種の専門知識を備えた技術者たちが固める形で新製品が開発されてきました。

このようなやり方は時にプラスに働くこともあれば、マイナスに働く場合もあります。それを以下、詳しく見ていくことにしましょう。

Ｌａｂ１２６はもともと「キンドル」を開発するため、２００４年にカリフォルニア州サニーベールに設立されました。

その名称の由来はアルファベット26文字と数字の対応関係にあります。つまり1が最初の文字であるA、26が最後の文字であるZに該当し、それぞれの文字が新製品を指しています。

ですからＬａｂ１２６は最初から少なくとも26種類の新製品を開発することを念頭に設立されたと見ていいでしょう。研究所関係者の間では、各々の新製品を（それを手がけた順番に）プロジェクトA、B、C……と呼ぶことが通例になっています。

これらのうちプロジェクトAはいうまでもなく「キンドル」ですが、プロジェクトBはそれに続いて開発された「ファイアフォン」と呼ばれるスマートフォンです。

キンドルは日本での売れ行きはそれほどでもなさそうですが、少なくとも米欧ではヒット商品となり、史上初めて一般消費者に普及した電子ブックリーダーとして知られるようになりました。

これに対しファイアフォンは発売当初こそ、アップルのアイフォーンに対抗する高機能スマートフォンとして注目されたものの、その後はさっぱり売れずに在庫の山を形成しました。今では、その名を記憶している人すら、ほとんどいないでしょう。

しかし、このファイアフォンつまりプロジェクトBこそ、ベゾス氏が全精力を傾けて取り組んだ野心作でした。

同氏がそこまで入れ揚げた理由は、アマゾンの利益をアップルに奪われたくなかったからです。それまでアイフォーンのアマゾン・アプリから消費者が買い物をした場合、アマゾンは売り上げの30％をアップルに支払わねばなりませんでした。

これがどうしても許せなかったベゾス氏は、是が非でもアマゾン独自のスマホを開発し、この端末から消費者に（アマゾンで）買い物をさせたかったのです。そうすれば売り上げの全てはアマゾンの懐に入ることになります。

ただし独自のスマホを開発・発売しても、それが売れなければ何にもなりません。当時はアイフォーンの全盛期ですから、ちょっと趣向を変えた程度のスマートフォンをアマゾンが売り出したところで消費者は振り向いてくれないでしょう。

そこでベゾス氏は、アイフォーンが見劣りするほどの性能・機能を兼ね備えた画期的なスマートフォンを開発しようと決心しました。それこそ世界中の消費者があっと驚くようなスーパー端末をアマゾン・ブランドで世に送り出そうと決めたのです。

しかし後から振り返れば、これが間違いの始まりでした。

それまでのベゾス氏は消費者目線からアマゾンを経営することを心がけてきました。常に消費者が欲しがるであろう商品、必要とするであろうサービスなどを先回りして用意し、それらを安く提供することで消費者の支持を得てきたのです。

ところがファイアフォン（プロジェクトB）では、アイフォーンに勝とうとするベゾス氏の気持ちが強すぎて、肝心の消費者目線が失われてしまいました。それは一般消費者ではなく、むしろ（ハイテク・オタクの）ベゾス氏自身が欲しがるスマートフォンの開発プロジェクトと化してしまったのです。[*10]

ベゾス氏は当時のスマホ関連技術の粋を凝らした端末を作り上げようとしました。「NFC」と呼ばれる非接触ICを使ったモバイル決済機能、タッチパネルを凌ぐ「空中でのジェスチャー操作」を可能とする前衛的UI、そしてユーザーが裸眼でも3D表示できる先進のディスプレイ技術「ダイナミック・パースペクティブ」など数え上げればキリがありません。ベゾス氏はこれら全ての機能をてんこ盛りにした、超ハイスペック・スマホを開発しようとしたのです。

これに向けた同氏の熱意には並々ならぬものがありました。

それまでベゾス氏はLab126を訪れることがあっても、せいぜい週に1〜2日程度。その際も技術者らへの挨拶がてらに彼らの仕事振りをチェックすると、すぐにアマゾン本社のあるシアトル行きの飛行機に乗り込んでいました。

ところがプロジェクトBがスタートしてからは同研究所への訪問頻度が徐々に増していき、遂にはそこに入りびたるようになりました。つまりベゾス氏はLab126に朝から晩まで常駐し、そこで自らファイアフォン開発の陣頭指揮をとるようになったのです。

当時、この開発に関わった技術者たちによれば、プロジェクトBにおいてベゾス氏の意見は絶対でした。スマホの製品仕様をほんの少し変更しようとするだけでも、技術者たちは同氏の了承を得なければなりませんでした。

この端末に盛り込まれることになった数々の機能の中でも、ベゾス氏がひときわ強い思い入れを抱いていたのは（前述の）「ダイナミック・パースペクティブ」と呼ばれる3D表示機能でした。プロジェクトBのチーム会議で、ベゾス氏は熱に浮かされたように「3D、3D」と繰り返し語りました。

しかし、この技術開発は予想以上に難航しました。当初何度か失敗を繰り返した後、技術者チームを入れ替えても上手くいかず、遂には研究所の外部から新規人材を雇い入れましたが、それでも駄目でした。

やがてスマホの四隅に各々ビデオカメラを搭載し、それぞれの角度から撮影したユーザーの顔を画像認識することにより、裸眼でも3D表示が可能になることがわかりました。しかし、こうすると端末の部品コストやバッテリーの電力消費量が跳ね上がってしまいます。

開発チームのメンバーの中には「果たして、ここまで苦労してスマホに3D表示を導入する意味があるのだろうか？　それ以外の多彩な機能にしても、本当にユーザーはこれらを必要としているのだろうか？　我々は間違った方向にプロジェクトを進めているのではないか？」と疑う技術者も少なくありませんでした。

しかし結局彼らはベゾス氏の意見に従わざるを得ませんでした。そこには同氏がアマゾンの最高経営責任者であることも当然影響していますが、それ以上に大きな理由は過去に同氏の主張することが、ほぼ常に正しかったからです。

この1つ前のプロジェクトA、つまりキンドルの開発においても、ベゾス氏は同端末に「携帯電話回線を利用したインターネット接続機能」を搭載することを主張して譲りませんでした。これによりユーザーはおおむね、どこからでも電子書籍を買って読めるようになるからです。

当時、開発チームのメンバーたちは「そんなことをすれば端末のコストが嵩んで元が取れなくなる」と反対しましたが、ベゾス氏は自分の意見を押し通してキンドルに携帯インターネット機能を搭載させました。結局、これが消費者に好感されて、キンドルはヒット商品となったのです。

アマゾンの歴史を振り返れば、こうしたケースは1度や2度では済みません。このためプロジェクトBのチームメンバーたちは途中まで疑念を抱きながらも、最後には「ベゾス氏の言うことはいつも正しいのだから、今回も彼の意見に従っておけば大丈夫だろう」と考えたのです。

このようにして開発されたファイアフォンは2014年7月、米国の大手キャリアAT&Tから発売されました。2年契約の端末価格は199ドル、契約外価格は650ドルでしたが、これは当時アップルから発売されたアイフォーン6と大差ありませんでした。3D表示をはじめ数々の機能をファイアフォンに盛り込んだため、この値段にせざるを得なかったのです。

しかしこれではアイフォーンに太刀打ちできないことが、すぐに明らかになりました。ファイアフォンの販売台数は、発売後の数週間でわずか数千台に止(とど)まったのです。

ベゾス氏があれほど情熱を注いだダイナミック・パースペクティブを、多くの消費者は「気が散るだけの邪魔な機能」としか見ませんでした。またファイアフォンの端末デザインもいま一つ冴えませんでしたが、何よりアマゾンから提供されるアプリは質量ともにアップル・アップストアの足元にも及びませんでした。

市場に投入されてからわずか6週間後、ファイアフォンの2年契約価格は199ドルから99セントに急落。過剰在庫から1億7000万ドルの評価損を計上したアマゾンは2015年夏、ファイアフォンの製造・販売を中止しました。発売開始からわずか1年後のことでした。

中止プロジェクトから派生したエコー

無残な失敗に終わったファイアフォン（プロジェクトB）ですが、それがスタートしてから少し後にLab126で開始され、一時は同時並行的に進められていたプロジェクトから誕生したのが、後に「エコー」と呼ばれるようになる会話型AIスピーカーです。

ホーム・オートメーション時代の到来を告げる、この人気商品はどのようにして生まれたのでしょうか？

エコーはもともと、開発・製品化の途中で中止されたプロジェクトCの派生物として発案されました。

プロジェクトCは2010年頃にスタートした当初、ファイアフォンに負けず劣らず野心的な新製品の開発計画と見られました。アマゾンは今も、その正体について固く口を閉

写真１　アマゾンの「エコー」（中央：Newscom／アフロ）

ざしていますが、これに関して同社が出願した特許から、その全貌が推測されます。[*11]

それは「AR（拡張現実）」に関する特許で、室内に浮かび上がるホログラムの３Ｄ映像と人間が相互作用するための技術でした。具体的には、ユーザーが何かに話しかけたり、両手をパンパンと打ち鳴らしたり、身体を動かしたり、歌を歌ったり、口笛を吹いたりすると、それに何らかの反応を返す技術です。

これから推察すると、アマゾンはどうやら一種のスマート・ホーム技術を開発しようとしていたようです。そこでは部屋から部屋へと移動する人（ユーザー）の後を仮想ディスプレイが追いかけ、それに向かって人が話しかけたり、身振りや歌声、口笛などで働きかけたりすると、さまざまな製品やサービスが

3D表示されて室内に浮かび上がります。これをユーザーはその場で注文できるのです。

しかし、このプロジェクトCがまさに山場に差し掛かろうとした矢先にファイアフォンが発売され、間もなく、その売れ行きの悪さが誰の目にも明らかになりました。

ベゾス氏を筆頭とするLab126の開発陣はこの失敗を謙虚に受け止めました。「今の自分たちには、アップルのように高機能・高価格のIT製品を提供できるほどの実力は備わっていない」と認めると同時に「ARのようにデカいことをやろうとすると、また失敗するぞ」と自戒したのです。

そこで彼らは（ARを中心とする）プロジェクトCを中止する決断を下しました。しかし、ここで培われた数々の技術、中でも優れた音声操作機能を何とか別の商品に応用することはできないかと考えました。ここから派生したのがプロジェクトD、つまり（後の）エコーの開発計画だったのです。

それまでプロジェクトCに参加してきた開発メンバーの多くがプロジェクトDに移籍しました。比較的高価・高機能の製品（ファイアフォン）を送り出したプロジェクトBが大失敗に終わったせいか、プロジェクトDでは安くてシンプルな製品を目指しました。

彼らが作ろうとしたのはインターネットに接続する小型スピーカーで、小売価格は50ドルくらいを想定していました。このスピーカーは一般家庭のテーブルに置かれ、これにユーザーが話しかけることで好きな音楽を聴いたり、さまざまな商品を（アマゾンから）購入することができます。

ベゾス氏は当初、この安いＡＩスピーカーに大した熱意を示しませんでした。

同氏はファイアフォンの開発メンバーに対しては「あまり気にするな。この失敗から我々は多くのことを学んだ」と気丈なところを見せていましたが、内心は相当落胆していたらしく、すぐには新しいことに取り組む気力が湧いてこなかったのです。それでも時間の経過とともに少しずつ元気も出てきたのか、徐々にプロジェクトＤの仕事場にも顔を見せるようになり、自らの感想や意見も述べるようになりました。

この頃からＬａｂ１２６の開発陣とベゾス氏の関係に少しずつ変化が見え始めました。それまで技術者らにとってベゾス氏の意見は絶対の権威を持つ命令に近いものでしたが、（恐らくは）ファイアフォンの失敗を経て、彼らも思い切って自分の意見をベゾス氏に対して述べるようになったのです。

それを象徴する出来事が間もなく起きました。

当時、プロジェクトＤで開発中のＡＩスピーカーには大きな問題が指摘されていました。同じ家の中でも、比較的遠いところから話しかけられた場合、エコーはその音声命令を正確に認識できないのです。

この問題に対処するため、技術者たちは（エコーの主たる操作方法である）音声認識に加えてリモコン装置のような別の操作方法も追加することを提案しました。

しかし、これにベゾス氏は猛反対しました。

エコーのセールス・ポイントは、テーブルの上に置かれたスピーカーがまるで召し使いのようにユーザーの言うことを聞いてくれる点にあります。それなのにテレビやエアコンのようなリモコン装置から使わねばならないとすれば、「消費者を騙すようなものだ」とベゾス氏は言うのです。

これに対し技術者たちは「わかりました。では発売当初はスピーカーにリモコンを付けて売り出し、これに対するユーザー（消費者）の反応を見てから、最終的にどうするか決めてはどうでしょう？」と切り返しました。

ここに妥協が成立し、少なくともＡＩスピーカーが発売された当初はリモコン付きで売られることが決まりました。

このように現場の意見に耳を貸すと同時に、ベゾス氏は彼らから学ぶようにもなりました。

ある時、プロジェクトＤの技術者が遊び半分にＡＩスピーカーと天井の照明器具をインターネットで接続し、音声で部屋の灯りをつけたり消したりするのを見て、ベゾス氏の表情が輝きました。ＡＩスピーカーが単なるＥコマースの道具に留まらず、照明器具や空調設備、テレビなどさまざまな電化製品を音声で操作するためのハブ（中心装置）になることを見抜いたのです。これこそスマート・ホームと呼べるものです。

もともとスマート・ホームをＡＲ技術で実現するためのプロジェクトＣから派生したプロジェクトＤでしたが、図らずも当初の目的へと回帰してきたことになります。しかも部屋から部屋へと移動する仮想ディスプレイ（一種のＡＲ）のような大がかりな装置ではなく、テーブルに置かれた小型スピーカーで同じ目的が達成できるわけですから、それに越したことはありません。

こうしてプロジェクトＤのＡＩスピーカーは、単なるＥコマース用端末から「スマート・ホームのハブ」へと開発方針が大転換されました。しかし、そのためには当初の計画よりも処理能力の高いプロセッサを搭載し部品点数も増えることから、ＡＩスピーカーのサイズは大型化し、値段も50ドルをゆうに超えそうでした。「それもやむを得ない」という結論に彼らは達しました。

ＡＩスピーカーの技術開発は２０１４年秋に完了し、製品の発売日が迫ってきました。しかし、ここで新たな論争が持ち上がりました。それは製品のネーミング、そしてこれを起動するための合図に関するものです。

ベゾス氏はこのＡＩスピーカーを「アマゾン・フラッシュ」と命名し、すでに梱包用の製品箱にはそのロゴが印刷されていました。同氏はまたＡＩスピーカーを起動するための合図は「アマゾン！」が良いと思っていました。つまりスピーカーに向かって「アマゾン！」と呼びかければ、この端末が起動し、あとは音声命令に従ってくれるということです。

しかしプロジェクトＤのエンジニアをはじめ関係者はその両方に反対しました。

まず製品名アマゾン・フラッシュに含まれる「アマゾン」は、あまりにも消費者の耳に親しんだため、ＡＩスピーカーという画期的製品の新鮮味やインパクトが伝わらない恐れがあります。

また「アマゾン！」を端末起動の合図にすれば、テレビでアマゾンのＣＭが放送された時にＡＩスピーカーがこれに誤って反応し、ユーザーが本来注文するつもりのない商品まで注文されてしまう恐れもあります。

プロジェクトＤのメンバーは、これらの点をベゾス氏に訴えて翻意を促しました。

意外なほど素直に、同氏は彼らの進言に従いました。すでに「アマゾン・フラッシュ」と印字されていた製品箱に代えて、新たに用意された製品箱には皆の総意を反映した「エコー」というロゴが記されていました。また、その起動用の合図は「アレクサ！」に決まりました。

エコーは２０１４年11月初旬、アマゾン・プライム会員と招待者らに限定して発売されました。米メディアはこの商品を「使い物にならない玩具」などと酷評しましたが、逆にプライム会員や招待者らはエコーに飛びつきました。2015年の夏に米国の一般消費者に向けて発売されると、翌年の春までに300万台以上を売り上げました。

（前述のベゾス氏と開発チームの合意に従って）エコーは当初、リモコン装置付きで発売されましたが、これを使って操作しようとするユーザーはほとんどいませんでした。発売開始直後のユーザー調査でこれを突き止めたアマゾンは、その後発売されるエコーにリモコン装置を付けませんでした。この点ではプロジェクトDの技術者よりも、やはりベゾス氏のほうが慧眼（けいがん）であったと認めるべきでしょう。

エコーは2016〜17年にかけて欧米や日本でも発売され、世界的な人気商品となりました。

居間のテーブルに置かれた、この円筒形の端末に人々は語りかけ、ときには少し離れた場所から大声で命令を出すなどして、音楽を聴いたり、買い物をしたり、外出時の天気予報を訊ねたり、照明や空調設備などを調節するようになりました。

それはスマート・ホームに代表されるIoT時代の幕開けを告げるシーンです。

特に朝は、どこの家庭でも慌ただしい時間帯でしょう。外出のために急いでシャツのボタンを留めながら、あるいは軽い朝食を調理しながら、手元のスマホでタッチパネルを操作するのは無理があります。むしろテーブルのスピーカーに向かって「最新のニュースを聞きたい」「午後の天気を知りたい」などと声で命令するほうが自然です。

そこにはスマートフォンのようなモバイル製品をはるかに凌ぐ、巨大市場が待ち受けているとの見方もあります。アイフォーンとの勝負では歯が立たなかったアマゾンですが、会話型ＡＩを駆使したスマート・スピーカーではＩｏＴ市場の橋頭堡を築くことができました。今やアップルのほうがアマゾンの後を追ってＡＩスピーカーを製品化するなど、未来を見通す先見力において両者の立場は逆転したようです。

ＡＩは失敗を認めることができない

ここまでグーグルとアマゾンを中心に、新たな時代の働き方を見てきました。

これらＡＩ時代をリードする2大企業が、そのホワイトカラー職場においてはＡＩを使うジョブ・オートメーションより、むしろ精神的あるいは人間的な要素を重視していることが筆者には一番印象に残りました。

グーグルは「心理的安全性」をチームワークが機能するためのカギと位置付け、それをXのような基礎研究所にまで広げることで、従業員の生産性ばかりか創造性までも高めようとしています。

アマゾンは「社内ダーウィン主義」とまで評される熾烈な競争文化を育むことで、各々の従業員が互いのアイディアを厳しく批判して洗練させ、消費者が本当に必要とする新商品・サービスを生み出そうとしています。

寛容を重視するグーグルと競争を優先するアマゾン——両者の企業文化は一見、正反対にも思えます。しかし職場における、ある種の率直さを従業員から引き出すという点において、両者には相通ずるものがあります。

つまりグーグルは職場に心理的安全性を保障することで、従業員らの間に「どんな馬鹿なことを言っても安心」、ひいては「あるがままの自分をさらけ出しても大丈夫」という雰囲気を形成しようとしています。これはアイディアを出す側の立場を確保する取り組みです。

逆にアマゾンはアイディアを批判する側の立場を優先していますが、批判を遠慮なく言える職場を実現しているとすれば、結局両者は「率直さ」という同じ目標を正反対の方法で達成しようとしている——そう考えることができるのではないでしょうか。

新しい会社が成長し、やがて巨大企業と化す過程で失われるのは従業員の率直さであり、これに代わって職場に蔓延（はびこ）るのは形式主義と官僚化です。グーグルとアマゾンは各々ユニークな企業文化を育むことで、それを厳に戒めているのです。

両者に共通する、もう一つのポイントは、自らの失敗を認め、そこから何かを学び取ろうとする姿勢です。

グーグルのXでは、研究者が日常業務の失敗ばかりかプライベートの挫折や悲劇までをも共有して、そこから互いに何かを学び取ろうとしています。

アマゾンのLab126では、ベゾスCEOを筆頭にプロジェクトBの失敗を真正面から受け止め、そこから技術開発に対する謙虚な姿勢を育むことでエコーの商品化に成功しました。

まずは自分の失敗を認めるということ――これは今後のAI時代において、最も必要とされる心構えかもしれません。

(第4章で紹介したように)かつて日本の神経内科の権威、沖中重雄氏は「私の誤診率は14・2%である」と認めました。このように率直な態度を終始貫いたからこそ、沖中氏は常に努力と研鑽を怠ることなく、遂には日本最高の名医へと成長することができたのではないでしょうか。

偶然ですが、現在ディープラーニングに基づく画像診断AIは、平均して当時の沖中氏と同じ程度の誤診率を記録しています。ビッグデータを機械学習して無限に成長する人工知能のことですから、いずれは医師の能力を楽々と追い越してしまうだろう――そう予想する向きもあるかもしれません。

しかし機械学習のシステムでは、それに消化させるデータ量が単に多ければいいというものではありません。トレーニングセットのデータが誤っていたり、その質が悪かったりすれば、画像診断システムのようなＡＩの性能はむしろ落ちてしまうこともあります。

しかしＡＩは自らの失敗を認め、改善に取り組むことができません。

なぜ、ＡＩの性能が上がらないのか？　この問題を率直に受け止めた上で、ＡＩのアルゴリズムを工夫したり、適切なトレーニングセットを探し集めてくるのは、あくまで研究者という人間です。結局は人間の勝負なのです。

突然の在宅勤務に戸惑うシリコンバレーのオフィスワーカー

そうした人間の底力が試されるのは、世界的な危機への対応でしょう。

２０２０年早々に深刻化した新型コロナウイルスの感染拡大を防ぐため、日本では大企業の約７割がテレワーク（在宅勤務）を導入、ないしは検討中と言われましたが、それは基本的に欧米など諸外国でも同じです。

特に米シリコンバレーでは、アップルやグーグル、フェイスブックなど巨大ＩＴ企業が、得意のクラウド業務システムを自社活用するなどして、従業員に在宅勤務（work from home）

を呼び掛けました。しかし、その試みは必ずしもスムーズには進まなかったようです。

米ウォール・ストリート・ジャーナルの報道によれば、アップルでは在宅勤務を求められた社員らが自宅の通信回線の遅さに不満を募らせ、緊急事態に適宜対応できない業務規則に混乱したといいます。*[12] 特に開発中の新製品に関する守秘規定などから、社内システムの重要な部分には自宅など社外からはアクセスできないようになっています。このため、今回のように在宅勤務が急に必要になったとき、肝心の仕事ができなくなる社員も少なくありませんでした。

一方、グーグルでは会社が急遽用意したモニターや通信ケーブルなど「在宅勤務キット」が不足して、約12万人の従業員全員には行き渡りませんでした。このため会社の命令に背いて週末にオフィスを訪れ、自分の机に置かれているパソコンや各種ＩＴ機器、家族写真などを荷造りして持ち出す社員が続出しました。これらが一斉に持ち去られた後のオフィスは、まるで強盗にでも遭ったかのように殺伐(さつばつ)としていたといいます。

フェイスブックでは社員らにできる限り在宅勤務を求めましたが、一部の従業員はそれがどうしてもできませんでした。たとえば児童ポルノなど有害コンテンツの監視・削除を担当している部署では、業務の性質上、社外での作業は禁止されているため、やむなくオフィスに出勤して仕事を続けたといいます。

本来、得意とする情報通信技術を使えば、在宅勤務に難なく移行できるはずの大手ＩＴ企業がこんな状況では、それ以外の業界では今後どうなるのかと不安が募りました。

他方、こうした巨大ＩＴ企業の対極に位置する中小企業では、技術設備や人的資源の不足などから、在宅勤務はやりたくてもできない試みでした。

さらに在宅勤務が絶対に不可能な職種・業界も多数あることを考慮すれば、普段とは異なる就労形態にトライできるだけでも恵まれているといわねばならないかもしれません。

危機を乗り越えて求められる本来の働き方とは

実は米ＩＴ業界が在宅勤務を試みるのは、今回が初めてではありません。基本的に電車通勤を是とする日本の都市部ほどではないにしても、クルマ社会のシリコンバレーにも朝夕の時間帯におけるフリーウェイの渋滞など通勤ラッシュは存在します。これによる従業員の疲弊や業務の非効率性を回避し、いわゆるワークライフ・バランスを実現するためにも、以前から在宅勤務は推奨されてきました。

しかし、そうした企業の試みは結局実を結びませんでした。たとえばＩＢＭでは２０１７年、それ以前からの呼びかけを改めて、全社員に対し自宅ではなくオフィスで業務に従事することを求めました。

このＩＢＭに限らず一般に米国企業の経営者の間では、在宅勤務が社員の生産性や効率性、ひいては創造性を引き出すか否かについて以前から意見が分かれています。これに関しては大学などによる調査でも、賛否両論が聞かれます。

たとえば２０１４年に米スタンフォード大学の研究者らが、ある中国の旅行代理店を対象に実施した調査では、在宅勤務者はオフィスで働く従業員よりも業務の効率性が13％上がったといいます。[*13] ただ、このように在宅勤務の有効性を示す調査はそれほど多くないようです。

むしろ在宅勤務よりもオフィスワークを支持する意見のほうが多いのです。特に問題を解決する能力の点で、何か起きたときに同僚たちが至急集まって対策を議論できるオフィスワークは在宅勤務よりもすぐれているといわれます。

また伝説的なアップルの共同創業者スティーブ・ジョブズ氏も在宅勤務の反対論者として知られ、「創造性は（オフィスにおける）自然発生的な会合やランダムな議論から引き出される」と主張していました。[*14]

さらに自宅での孤独な作業や子供の世話等から生じるストレスも、在宅勤務が従業員の間で不人気な理由の一つとなっています。

しかし一方で、在宅勤務にはオフィスワークに伴う上司の視線、あるいは同僚との無駄話や雑念などから解放されて、一つの仕事に深く集中して取り組むことができるなどメリットも当然あります。

（前述の）グーグルの人員分析部の責任者ラズロ・ボック氏らが起業したヒューム社の調査によれば、在宅勤務の理想的な日数は「一週間に1・5日」とされます。

全世界を震撼させている新型コロナウイルスによって、在宅勤務や時差出勤など企業社会で以前から求められていた取り組みが図らずも実行に移された感があります。世界的な景気後退と雇用不安が囁かれる中で楽観的に過ぎるかもしれませんが、この問題が収束した暁には、より合理的で人間的な新しい就労スタイルが確立されることを期待したいと思います。

おわりに

人は何のために働くのでしょうか？

大卒者の10人に4人が卒業後3年以内に仕事を見つけることができないイタリアでは、仕事内容の如何(いかん)によらず、1人の採用枠に多数の大卒者が殺到する事態となっています（公共放送フランス2の報道より）。

ごく限られた公務員ポストを巡って、大規模な採用試験が実施されるようになりましたが、応募者のあまりの多さに国際会議場が試験会場に選ばれるほどです。

2019年、イタリア北部で実施された看護師の採用試験には、400人の採用枠に8000人が応募。他にも教師1人の採用枠に1万人、消防士30人の採用枠に1万8000人の応募がありました。

イタリア南部でも状況は同じです。

2020年1月、清掃作業チームを補強することになった南部の都市バルレッタでは13

人の清掃員を新規募集。これに８００人が応募しましたが、その大半は大卒の若者たちでした。

アンドリアンさんもその一人。彼はエンジニアの資格を持っていますが、28歳にして早くも思い描いていた将来を諦めました。この仕事の月給は２０００ユーロ（約24万円）ですが無期限雇用です。彼にとって、この条件が最も重要でした。

「仕事に優劣はありません。皆がこの仕事を狙っていました。僕は家庭を築き、家を買うためにも経済的に安心したかったのです」と彼は言います。

公共構造物エンジニアの資格を有するジョゼッペさんも同じ気持ちです。大学卒業後、10年間はアルバイトで食いつないできましたが、今回、無期限雇用の清掃作業員の求人に応募。無事採用され、早朝から街路の清掃作業に携わっています。

「この仕事に就くまで随分色々な仕事をしてきました。倉庫の作業員、農家での仕事、バーの店員、ブティックの販売員などをして僅かながらもお金を稼いできました。残念ながら、これが我が国の現状なのです」と彼は言います。

また彼らの上司は、ごく僅かな公務員ポストに若い大卒者が殺到する現状を、イタリアの将来に対する警鐘と見ています。

「イタリアは学問を修めていない閣僚がいる一方で、素晴らしい資格を持っていながら廃棄物処理場で働く大卒者がいるという矛盾した国です。きっと何かが上手くいっていないんです」

安定した職が見つからないため、２０１９年には15万人の若者たちが外国に職を求めてイタリアを後にしました。

翻って日本では、第二次大戦後、長く続いてきた日本型雇用システムが大きな曲がり角を迎えています。

２０１９年６月、ソニーはＡＩ開発などを担う高度人材を確保するため、初年度の年収を最高で７３０万円に引き上げることを発表しました。コンピュータプログラミングに熟達した新入社員らを中心に、業務内容や評価に応じて人事評価で９段階中の４段階目に当たる「主任クラス」に抜擢するといいます。

ＮＥＣも２０１９年９月、今後は研究職を対象に新卒年収が１０００万円を超える可能性があると発表しました。大学時代の論文が高い評価を得た新卒者らを対象に、従来の年功序列とは全く異なる給与体系を適用するといいます。

ＤｅＮＡはゲームなどを開発するＡＩシステム部独自の人事制度を設け、能力次第では新卒社員にも１０００万円の給与を出すとしています。

さらに富士通も、ポジションや仕事内容に応じて給与などの待遇が決まる「ジョブ型人事制度」に移行する方針。AI開発など先端分野では、勤続年数によらず3000万〜4000万円の年収もあり得るとしています。

年が明けて2020年1月、経団連は新卒一括採用や終身雇用、年功序列賃金など、戦後の日本型雇用システムを見直すよう促しました。今後は中途・経験者らの採用、さらに通年採用などを組み合わせ、人事考課でも仕事の成果に応じた昇給・昇進システムを導入することが望ましいとしています。

いずれもGAFAに代表される巨大IT企業などを念頭に、年功序列よりも能力を重視する雇用システムに変えていかなければ、熾烈なグローバル競争に勝ち残れないという危機感の表れと見られています。

新たな雇用システムの下では有能な従業員が優遇される一方、これまでの終身雇用のような心理的安全性は失われ、同僚の間における競争は激しくなるでしょう。いわゆる弱肉強食型の米国社会に近づくのではないでしょうか。

また表向きには「年功序列よりも能力を重視」と言っても、実際は人件費の総額を抑制するのが経営側の本音でしょう。彼らが一般従業員として働いていた当時は日本型雇用システムに守られてきたわけですから、今になって、それを翻すのは正直身勝手という感もあります。

しかし今、ここで思い切った改革に踏み切らなければ、前述のような高度人材が「ただ生きていくために働く」イタリアのような国になってしまう恐れもあります。その先に垣間見えるのはジョブ・オートメーションによる雇用破壊であり、やがては街の清掃作業のような仕事さえもＡＩロボットに奪われてしまう索莫(さくばく)たる未来社会です。

そこでは私たち人間の居場所が大幅に狭められることになります。

ここで、もう一度問い直してみましょう――人は何のために働くのでしょうか？

人は人に認められ、人として尊重されるために働くのです。生まれながらに、この世界に居場所を与えられている幸運な人たちはほんの一握りに過ぎません。私たちの多くは、その居場所を、仕事を通じて、死にもの狂いで確保します。

あなたがいるから、この部署は動いている。あなたがいるから、この組織は何とか持ちこたえている。それを世間の人たちは知らないかもしれない。でもあなたと一緒に働く私たちは知っている。ＡＩにあなたの代わりはできない、と。

＊2 "How Amazon automatically tracks and fires warehouse workers for 'productivity'," Colin Lecher, The Verge, Apr 25, 2019
＊3 "Inside an Amazon Warehouse, Robots' Ways Rub Off on Humans," Noam Scheiber, The New York Times, July 3, 2019
＊4 "A Machine May Not Take Your Job, but One Could Become Your Boss," Kevin Roose, The New York Times, June 23, 2019
＊5 "What Google Learned From Its Quest to Build the Perfect Team," Charles Duhigg, The New York Times, Feb. 25, 2016
＊6 "Three Years of Misery Inside Google, the Happiest Company in Tech," Nitasha Tiku, Wired, September 2019
＊7 "How Google Protected Andy Rubin, the 'Father of Android'," Daisuke Wakabayashi and Katie Benner, The New York Times, Oct.25, 2018
＊8 "Inside Amazon: Wrestling Big Ideas in a Bruising Workplace," Jodi Kantor and David Streitfeld, The New York Times, Aug. 15, 2015
＊9 「アマゾンジャパンの社員はこんなふうに評価を下されている」、週刊現代、2018年1月27日号
＊10 "The Inside Story of Jeff Bezos's Fire Phone Debacle," Austin Carr, Fast Company, Jan. 6, 2015
＊11 "The Real Story of How Amazon Built the Echo," Joshua Brustein, Bloomberg News, April 19, 2016
＊12 "Silicon Valley Was First to Send Workers Home. It's Been Messy." Rob Copeland and Tripp Mickle, The Wall Street Journal, March 14, 2020
＊13 "Does Working from Home Work? Evidence from a Chinese Experiment," Nicholas Bloom, James Liang, John Roberts, Zhichun Jenny Ying, The Quarterly Journal of Economics, Volume 130, Issue 1, February 2015, Pages 165–218
＊14 "Sorry, but Working From Home Is Overrated," Kevin Roose, The New York Times, March 10, 2020

＊15 “How drones are delivering lifesaving medical supplies in Rwanda,” PBS Newshour, April 16, 2019
＊16「楽天と西友、ドローンで離島への配送サービス実験」、日本経済新聞・電子版、2019年6月17日
＊17「農業労働力に関する統計」、農林水産省ホームページ
＊18「米国農業に打撃　不法移民取締り」、JAcom（農業協同組合新聞ホームページ）、2017年9月28日
＊19 “The Age of Robot Farmers: Picking strawberries takes speed, stamina, and skill. Can a robot do it?” John Seabrook, The New Yorker, April 15, 2019
＊20「イナホ、野菜の自動収穫ロボットのレンタル開始」、日本経済新聞・電子版、2019年9月1日
＊21 “Meet the New Robot Army,” Paul Scharre, The Wall Street Journal, April 11, 2018
＊22『無人の兵団　AI、ロボット、自律型兵器と未来の戦争』、ポール・シャーレ、早川書房

第4章

＊1 「『私の誤診率は14.2%』 神経内科医の権威が述べた衝撃」、週刊ポスト、2017年4月19日
＊2 “IBM Is Counting on Its Bet on Watson, and Paying Big Money for It,” Steve Lohr, The New York Times, Oct. 17, 2016
＊3 「人工知能、がん治療法助言─米IBMの「ワトソン」」、共同通信、2016年8月4日
＊4 “It's Early Days for the Use of AI in Medicine,” John E. Kelly Ⅲ, The Wall Street Journal, Aug. 13, 2018
＊5 “IBM Has a Watson Dilemma,” Daniela Hernandez and Ted Greenwald, The Wall Street Journal, Aug. 11, 2018
＊6 “IBM pitched its Watson supercomputer as a revolution in cancer care. It's nowhere close,” Casey Ross and Ike Swetlitz, STAT, Sept. 5, 2017
＊7 「グーグルや百度が注力する『ディープ・ラーニング』とは何か?」、小林雅一、現代ビジネス、2013年4月18日
＊8 “An AI Ophthalmologist Shows How Machine Learning May Transform Medicine,” Will Knight, MIT Technology Review, Nov. 29, 2016
＊9 “A.I. Took a Test to Detect Lung Cancer. It Got an A.” Denise Grady, The New York Times, May 20, 2019
＊10 “A clinically applicable approach to continuous prediction of future acute kidney injury,” Nenad Tomašev et. al., Nature 1 August 2019
＊11 “Google's Effort to Prevent Blindness Shows AI Challenges,” Corinne Abrams, The Wall Street Journal, Jan. 26, 2019
＊12 “Google and the University of Chicago Are Sued Over Data Sharing,” Daisuke Wakabayashi, The New York Times, June 26, 2019
＊13 “The Algorithm Will See You Now,” Siddhartha Mukherjee, The New Yorker, April 3, 2017

第5章

＊1 “Amazon to Retrain a Third of Its U.S. Workforce,” Chip Cutter, The Wall Street Journal, July 11, 2019

＊11 “Why Google’s Bosses Became ‘Unpumped’ About Uber,” Daisuke Wakabayashi, The New York Times, Feb. 7, 2018
＊12 “Prosecutors find Uber not criminally liable in 2018 Arizona self-driving crash that killed a pedestrian,” Catherine Sue, TechCrunch, March 6, 2019
＊13「Ｕｂｅｒが目指す完全自動運転、トヨタやソフトバンクが出資も課題は山積」、AARIAN MARSHALL、WIRED(US)、2019年4月24日
＊14「完全自動運転の到来は、まだ先になる？　フォードＣＥＯの発言に見る実現までの長い道のり」、AARIAN MARSHALL、WIRED(US)、2019年4月11日
＊15 “Driverless Cars May Be Coming, but Let’s Not Get Carried Away,” Lawrence Ulrich, The New York Times, June 20, 2019
＊16 “With Waymo Robotaxis, Customer Satisfaction is Far From Guaranteed,” Amir Efrati, The Information, March 22, 2019
＊17「自動運転走行実績、グーグル系が圧倒　アップルも3位」、日本経済新聞・電子版、2019年3月8日
＊18「米中ハイテク覇権のゆくえ」、ＮＨＫスペシャル取材班、ＮＨＫ出版新書、2019年6月10日

第3章

＊1 “Google Adds to Its Menagerie of Robots,” John Markoff, The New York Times, Dec.14, 2013
＊2 “These Robots Run, Dance and Flip. But Are They a Business?” Cade Metz, The New York Times, Sept. 22, 2018
＊3 “Boston Dynamics prepares to launch its first commercial robot: Spot,” James Vincent, The Verge, Jun 5, 2019
＊4 「二足歩行ロボの開発中止　米グーグル持ち株会社」、日本経済新聞・電子版、2018年11月14日
＊5 “As Amazon Pushes Forward With Robots, Workers Find New Roles,” Nick Wingfield, The New York Times, Sept. 10, 2017
＊6 「米アマゾン、梱包の自動化技術を導入　1300人分の仕事代行へ」、ロイター・ビデオ、2019年5月14日
＊7 「驚きのコンビニ革命『Amazon Go』のすごい仕組み、魔法のようなAI技術の真実」、鈴木淳也、Business Insider Japan, Feb.15, 2018
＊8 “After a Messy Breakup With New York, Amazon is Back With a Cashierless Go Store,” Michael Gold, The New York Times, May 8, 2019
＊9 「無人レジ戦争『セルフレジから無人レジのハードルは意外と高かった』」、松崎隆司、現代ビジネス、2019年2月2日
＊10「『無人コンビニには興味がない』セブン-イレブン初の省人型店舗とは？」、インプレス、2018年12月18日
＊11「【高論卓説】売り上げ・防犯への影響軽微　ローソン無人レジの実力」、松崎隆司、産経新聞・電子版、2019年9月14日
＊12「中国の省人型コンビニに新潮流　Amazon Go型へと舵を切る」、降旗淳平、日経クロストレンド、2019年3月20日
＊13 “Walmart is Rolling Out the Robots,” Sarah Nassauer and Chip Cutter, The Wall Street Journal, April 9, 2019
＊14 “Who Comes to the Rescue of Stranded Robots? Humans,” Marc Vartabedian, The Wall Street Journal, April 11, 2019

参考文献

第1章

＊1 “A.I. Is Learning From Humans. Many Humans.” Cade Metz, The New York Times, Aug. 16, 2019
＊2 “FT interview with Google co-founder and CEO Larry Page,” Richard Waters, The Financial Times, Oct. 31, 2014
＊3 「ロボットが変える「3K労働」の現場、自動化で雇用喪失も」、Reutersビデオ、2019年3月5日
＊4 “How Cheap Labor Drives China's A.I. Ambitions,” Li Yuan, The New York Times, Nov. 25, 2018
＊5 “Automation in Everyday Life,” Aaron Smith and Monica Anderson, Pew Research Center Internet and Technology, Oct. 4th 2017
＊6 “The Hidden Automation Agenda of the Davos Elite,” Kevin Roose, The New York Times, Jan.25, 2019
＊7 「AI時代に食える仕事　食えない仕事　18職種1350万人の生存条件」、許斐健太、渡邉正裕、週刊東洋経済2019年4月13日号
＊8 “Finland's grand AI experiment,” Janosch Delcker, Politico, 1/2/19
＊9 “AI for Everyone,” deep learning AI, Coursera
＊10 “How the Boeing 737 Max Disaster Looks to a Software Developer,” Gregory Travis, IEEE SPECTRUM, 18 Apr. 2019
＊11 「採点される人生(3)　未完成の審査AI　どこまで頼る　迷う使い手」日本経済新聞　2019年4月26日付朝刊

第2章

＊1 “A slashed tire, a pointed gun, bullies on the road: Why do Waymo self-driving vans get so much hate?,” Ryan Randazzo, Arizona Republic, Dec. 11, 2018
＊2 “Americans' attitudes toward driverless vehicles,” Aaron Smith and Monica Anderson, Pew Research Center, October 4th, 2017
＊3 “The Car Industry Is Under Siege,” Jack Ewing, The New York Times, June 6, 2019
＊4 “‘They Were Conned'; How Reckless Loans Devastated a Generation of Taxi Drivers,” Brian M. Rosenthal, The New York Times, May 19, 2019
＊5 “He Has Driven for Uber Since 2012. He Makes About $40,000 a Year,” David Streitfeld, The New York Times, April 12, 2019
＊6 “Strike All You Want. Uber Won't Pay a Living Wage,” Sarah Jeong, The New York Times, May 10, 2019
＊7 “How Uber Uses Psychological Tricks to Push Its Drivers' Buttons,” Noam Scheiber, The New York Times, April 2, 2017
＊8 “As IPO soars, can Uber and Lyft survive long enough to replace their drivers with computers?” Faiz Siddiqui and Greg Bensinger, The Washington Post, March 30, 2019
＊9 “Travis Kalanick on Uber's bet on self-driving cars: ‘I can't be wrong',” Biz Carson, Business Insider, Aug. 19, 2016
＊10 “AUTO CORRECT Has the self-driving car at last arrived?” Burkhard Bilger, The New Yorker, Nov. 18, 2013

N.D.C. 300　272p　18cm
ISBN978-4-06-519935-0

講談社現代新書　2569

仕事の未来

「ジョブ・オートメーション」の罠と「ギグ・エコノミー」の現実

二〇二〇年四月二〇日第一刷発行

著者　小林雅一

発行者　渡瀬昌彦
発行所　株式会社講談社
東京都文京区音羽二丁目一二―二一　郵便番号一一二―八〇〇一
電話　〇三―五三九五―三五二一　編集（現代新書）
〇三―五三九五―四四一五　販売
〇三―五三九五―三六一五　業務
装幀者　中島英樹
印刷所　株式会社新藤慶昌堂
製本所　株式会社国宝社
定価はカバーに表示してあります　Printed in Japan

「講談社現代新書」の刊行にあたって

教養は万人が身をもって養い創造すべきものであって、一部の専門家の占有物として、ただ一方的に人々の手もとに配布され伝達されうるものではありません。

しかし、不幸にしてわが国の現状では、教養の重要な養いとなるべき書物は、ほとんど講壇からの天下りや単なる解説に終始し、知識技術を真剣に希求する青少年・学生・一般民衆の根本的な疑問や興味は、けっして十分に答えられ、解きほぐされ、手引きされることがありません。万人の内奥から発した真正の教養への芽ばえが、こうして放置され、むなしく滅びさる運命にゆだねられているのです。

このことは、中・高校だけで教育をおわる人々の成長をはばんでいるだけでなく、大学に進んだり、インテリと目されたりする人々の精神力の健康さえもむしばみ、わが国の文化の実質をまことに脆弱なものにしています。単なる博識以上の根強い思索力・判断力、および確かな技術にささえられた教養を必要とする日本の将来にとって、これは真剣に憂慮されなければならない事態であるといわなければなりません。

わたしたちの「講談社現代新書」は、この事態の克服を意図して計画されたものです。これによってわたしたちは、講壇からの天下りでもなく、単なる解説書でもない、もっぱら万人の魂に生ずる初発的かつ根本的な問題をとらえ、掘り起こし、手引きし、しかも最新の知識への展望を万人に確立させる書物を、新しく世の中に送り出したいと念願しています。

わたしたちは、創業以来民衆を対象とする啓蒙の仕事に専心してきた講談社にとって、これこそもっともふさわしい課題であり、伝統ある出版社としての義務でもあると考えているのです。

一九六四年四月　野間省一

経済・ビジネス

哲学・思想Ⅰ

哲学・思想Ⅱ

政治・社会

知的生活のヒント

日本語・日本文化

105 タテ社会の人間関係　中根千枝
293 日本人の意識構造——会田雄次
444 出雲神話——松前健
1193 漢字の字源——阿辻哲次
1200 外国語としての日本語——佐々木瑞枝
1239 武士道とエロス——氏家幹人
1262 「世間」とは何か——阿部謹也
1432 江戸の性風俗——氏家幹人
1448 日本人のしつけは衰退したか——広田照幸
1738 大人のための文章教室　清水義範
1943 なぜ日本人は学ばなくなったのか——齋藤孝
1960 女装と日本人——三橋順子
2006 「空気」と「世間」——鴻上尚史
2013 日本語という外国語　荒川洋平
2067 日本料理の贅沢——神田裕行
2092 新書　沖縄読本——下川裕治 仲村清司 著・編
2127 ラーメンと愛国——速水健朗
2173 日本人のための日本語文法入門——原沢伊都夫
2200 漢字雑談——高島俊男
2233 ユーミンの罪——酒井順子
2304 アイヌ学入門——瀬川拓郎
2309 クール・ジャパン!?　鴻上尚史
2391 げんきな日本論——橋爪大三郎 大澤真幸
2419 京都のおねだん——大野裕之
2440 山本七平の思想——東谷暁

P